大家小书

# 中国画论体系及其批评

李长之 著

北京出版集团公司
北 京 出 版 社

**图书在版编目（CIP）数据**

中国画论体系及其批评 / 李长之著. — 北京 ：北京出版社，2017. 8

（大家小书）

ISBN 978 - 7 - 200 - 12846 - 8

Ⅰ. ①中… Ⅱ. ①李… Ⅲ. ①中国画—绘画理论—研究 Ⅳ. ①J212

中国版本图书馆 CIP 数据核字（2017）第 032399 号

总策划：安　东　高立志　　　责任编辑：高立志　邓雪梅

·大家小书·

中国画论体系及其批评

ZHONGGUO HUALUN TIXI JI QI PIPING

李长之　著

*

北京出版集团公司　　出版
北　京　出　版　社

（北京北三环中路 6 号　邮政编码：100120）

网　址：www. bph. com. cn

北京出版集团公司总发行

新华书店经销

北京华联印刷有限公司印刷

*

880 毫米×1230 毫米　32 开本　5.875 印张　90 千字

2017 年 8 月第 1 版　2018年5月第2次印刷

ISBN 978 - 7 - 200 - 12846 - 8

定价：36.00 元

# 序　言

袁行霈

“大家小书”，是一个很俏皮的名称。此所谓“大家”，包括两方面的含义：一、书的作者是大家；二、书是写给大家看的，是大家的读物。所谓“小书”者，只是就其篇幅而言，篇幅显得小一些罢了。若论学术性则不但不轻，有些倒是相当重。其实，篇幅大小也是相对的，一部书十万字，在今天的印刷条件下，似乎算小书，若在老子、孔子的时代，又何尝就小呢？

编辑这套丛书，有一个用意就是节省读者的时间，让读者在较短的时间内获得较多的知识。在信息爆炸的时代，人们要学的东西太多了。补习，遂成为经常的需要。如果不善于补习，东抓一把，西抓一把，今天补这，明天补那，效果未必很好。如果把读书当成吃补药，还会失去读书时应有的那份从容和快乐。这套丛书每本的篇幅都小，读者即使细细地阅读慢慢地体味，也花不了多少时间，可以充分享受读书的乐趣。如果把它们当成补药来吃也行，剂量小，吃起来方便，消化起来也容易。

我们还有一个用意，就是想做一点文化积累的工作。把那些经过时间考验的、读者认同的著作，搜集到一起印刷出版，使之不至于泯没。有些书曾经畅销一时，但现在已经不容易得到；有些书当时或许没有引起很多人注意，但时间证明它们价值不菲。这两类书都需要挖掘出来，让它们重现光芒。科技类的图书偏重实用，一过时就不会有太多读者了，除了研究科技史的人还要用到之外。人文科学则不然，有许多书是常读常新的。然而，这套丛书也不都是旧书的重版，我们也想请一些著名的学者新写一些学术性和普及性兼备的小书，以满足读者日益增长的需求。

“大家小书”的开本不大，读者可以揣进衣兜里，随时随地掏出来读上几页。在路边等人的时候，在排队买戏票的时候，在车上、在公园里，都可以读。这样的读者多了，会为社会增添一些文化的色彩和学习的气氛，岂不是一件好事吗?

“大家小书”出版在即，出版社同志命我撰序说明原委。既然这套丛书标示书之小，序言当然也应以短小为宜。该说的都说了，就此搁笔吧。

# 男性的，老年的，士大夫的，归结都是壮美性

## ——说李长之的《中国画论体系及其批评》

于天池　李　书

## 一

由于历史的原因，批评家李长之先生的《中国画论体系及其批评》虽然受到过梁实秋先生的欣赏赞誉，并曾被专收民国年间原典著作的“民国丛书”所刊载，但在目前的大陆读者中，即便是学界，专门研究民国美学著作，乃至绘画史方面的学人也鲜有人知。然而，《中国画论体系及其批评》却是研究中国传统绘画理论的好书，是无论如何也不应该被遗忘的。

《中国画论体系及其批评》是1944年在重庆由独立出版社出版的，其时诚如长之先生在“导言”中所言：“国人对于中国画论和中国画，在过去从历史的——实用的观点去整理者多，从体系的——哲学的观点去整理者则少。”

长之先生说的话，距今已经过去了大半个世纪，在当下却仍然适用。因为在当今的美术界，“对于中国画论和中国画”的研究，仍然是“从历史的——实用的观点去整理者”多，而“从体系的——哲学的观点去整理者”少。——岂止少，简直仍如空谷足音！《中国画论体系及其批评》之被忽视和遗忘，究其原因，大概既与国人缺乏哲学思考的传统和习惯有关，也由于从体系的哲学的角度研究中国画和中国画论较难有关。这么说，并不是就简单地认为从历史的实用的角度研究难度低，而是从研究方法上看，从体系的哲学的观点去研究，更需要综合概括，更需要对于中国文化和世界文化史了然于心。

## 二

中国古代绘画理论虽然典籍浩繁，但除去张彦远《历代名画记》等个别作品，多是片言只语，随笔性多，体系者少，缺乏统系。面对散乱的历史材料，如何整理出体系来，不能说不是一种挑战，一种开拓性工作。《中国画论体系及其批评》在这方面做了艰辛的尝试，实在难能可贵。长之先生说：“一切艺术总是包括着三方面的问题，这是：一、主观——就是创作者的人格问题；二、对象——就是艺术品的取材问题；三、用具——就是创作者所借以表现艺术品之取材的手段问题。中国画在这三方面，无论理论上、实践上都有其特殊的问题与特殊的面目，从前所有的画论，似乎都可以隶属于这三者之中，因此，我们可以在好像没有头绪的画论中，找出一个体系来并且因而可以看出中国画在艺术上之究竟的意义和价值来。”“我们试从主观、对象、用具上看，则中国绘画的特点可以立见，而所有中国绘画的理论也都可以看出一个系统来。这像许多铁屑一样，一放上磁石，就会马上若有一种秩序的光景了。”当然，主观、对象、用具，三者并非并列的，而是有内在的逻辑：“所谓主观，是指艺术品中所要表现的艺术家的人格。这是艺术品的核心；因为，对象不过是一个手段，用具就又是手段之手段而已，所以都比较次要。”

《中国画论体系及其批评》首先从“中国绘画上之主观问题”入手。长之先生认为，中国绘画在主观上最重要的特色，是“要求士大夫的”，“这一点，其形成中国画之特殊面目者非常之大，关系中国画论之体系者非常之深”。从“士大夫的意识，士大夫的生活，士大夫的教养，士大夫的人格，反写实的精神，以及作为形上学的根据的理”六个方面进行论述后，长之先生最后的结论是“中国画在对主观的要求上，是三点：男性的，老年的，士大夫的。归结都是壮美性。——这乃是中国画的真精神和独特处。”

在对象上，长之先生认为：“中国画，不像其他民族的艺术一样，在对象上漫无选择。无论就质论，就量论，中国画的对象，却都有其特点。因为中国画所画的东西，只是一种代表的意义，所以中国的山水，并不是风景画；中国的花卉，也不是写生画；其背后乃是另有一种意义的，这就是就性质论，中国画和其他民族的艺术一个大不同处。”“中国画，对于人物，是居于一个次要的地位。一方面是视为畏途。”“一方面是并不重视。”“中国画之对象，既集中在山水、竹石、梅兰等，则无疑也表示了一个趋势，就是趋于单简，同时不言而喻的，也就是适合于表现壮美。”

在用具方面，长之先生认为“中国绘画的用具就是笔墨。所以中国许多绘画的问题，都集中在笔墨上。恐怕再没有其他任何民族的艺术，其受限制于用具，以及用具所予的方便，而且因为用具之故，造成那种艺术的特色，像中国这样清楚的了”。“为什么中国的绘画与其用具的关系这样密切呢？这个秘密只需要一句话就点破了：原来中国绘画中所用的墨就是中国书法上所用的同样的墨，中国绘画中所用的笔就是中国书法上所用的同样的笔。在任何其他的民族，书法没有像中国这样成其为纯粹的艺术的，同时，在任何其他的民族，也没有像中国这样有一种普遍的艺术如书法者！”

《中国画论体系及其批评》对于有关于中国绘画艺术中的一般问题，诸如“艺术与大自然”“艺术与实生活的距离”“艺术与道德”“天才问题”“个性论：创造与模仿”“创作原理”“完整的艺术品的要求”“艺术上之失败”“艺术上之浅薄”“创作与批评”“艺术之时代划分”也进行了简要而不乏真知灼见的讨论，其中尤其对“天才问题”的讨论较详。这一方面是因为中国画论在这个范畴资料较为丰富，也因为长之先生在写作此书时对于这个问题较为专注，是他早期美学思想的一个重要方面的缘故。长之先生认为，虽然对于艺术中的一般问题中国绘画“差不多都触及了。只是我们当注意的是，他们却只是有点零星的倾向而已，他们从来没有对于一般的问题有意地作过什么理论，那些零星的倾向乃是多半因为特殊的场合而发出的而已，更说不上体系。于此亦可见中国人不惯于有组织的哲学之思索者为何如了”。

人格、对象、工具，以及11则“中国画论中之一般的艺术问题”，就是长之先生对于中国画论的体系性批评，是“有组织的哲学之思索”。这个体系的构筑尽管初始，是一种尝试，也不能说十分完备，但这是现当代中国美学界对于中国绘画批评的第一次系统的观照和统合，具有开创之功。诚如梁实秋先生所批评的："把复杂的中国画理编排归纳在这么一个体系里，这是著者苦心经营处。"[①]

## 三

长之先生是哲学学科出身，在清华大学就读哲学系时受业于冯友兰、邓以蛰等先生并深受他们的影响。他头脑明晰，善于化繁为简，将纷繁复杂的问题简明扼要地表述出来。作为学者，他又身兼诗人、散文家。他的学术论文，包括他的专业性很强的哲学古典文学论文，都能优雅而富于情感地传递给读者。他的《中国画论体系及其批评》也具有这个特点。

《中国画论体系及其批评》课题虽然宏大，行文却不过六七万字左右。长之先生表现了大处着眼、高屋建瓴的气魄。他从主观、对象、工具三方面入手，确如其所说，像散乱的铁屑放上磁石，立马有一种秩序了。其叙述的过程也渗透着智慧。比如论及中国绘画上之主观问题，文献资料可谓千头万绪，难以措手。长之先生的论述则"由两个方面去观察，一方面就消极意义看，看中国画里'不要求'什么，另一方面就积极意义看，看中国画里'要求'什么"。可谓条理分明，路径

① 梁实秋："中国画论体系及其批评"，《时与潮文艺》1946，5(4)。

清晰，就像一个好的导游给游客建立了坐标路线，于纷乱的景点中理出了眉目。在经过一番归纳总结，逻辑推理之后，长之先生的结论也显豁简明之至：中国画的真精神和独特处“归结都是壮美性”。可谓要而不繁，简明醒目！

《中国画论体系及其批评》虽然只有六七万字，却简约不陋。除所引温克尔曼、康德、玛尔霍兹等德文原文进行中西绘画理论的比较外，关于中国古代文献的部分引文有二百余处，细大不捐，凡援引处绝不苟且，一点一滴均详细注明，部分引文相当偏僻，是作者第一次引用于现当代美学批评之中，而且用现代美学的概念加以诠释，明明白白说了出来。于此，长之先生特别申明说：“对于中国旧东西，我不赞成用原来的名词，囫囵吞枣的办法。我认为，凡是不能用语言表达的，就是根本没弄明白，凡是不能用现代语言表达的，就是没能运用现代人的眼光去弄明白。中国的佛学、画、文章……我都希望其早能用现代人的语言明明白白说出来。本篇之作，这也是其微意之一了。”对此，有学者认为“这部书的旨趣之一就是要对传统画论进行现代转换，其重要的途径就是用精确的现代语言将含混不清的古代名词即概念、范畴表达得更清楚，更明了”。认为“不能仅仅将其作为一部专门的艺术理论著作来读，而是将其放在中国现代美学和文艺美学的现代转换历程中才能正确且充分认识”[①]，这个看法是很有见地的。

《中国画论体系及其批评》的叙述语言简劲明晰，长句子很少，且富于抒情色彩。试看他对于中国绘画在文化上的批评：“中国画本身很伟大：它合乎美的一般原则；它的取材很高，例如竹梅兰菊，都有伦理上的价值和意义；它有一种形上学，所以的确够上一种精神活动的最高境界；它为中国各种文化的精华所渗透，又影响中国知识分子的人格之完成，所以的确够上是艺术教育的实践；西洋的美学与艺术实践未能打成一片，但是中国做到了；艺术中的根本课题，在主观、对象、用具的合一，这是理想，一般的艺术未必能做到，但是中国已经在这方面成功了。对于艺术的了解和普遍，没有及上中国的；一个民族的艺术和其种种文化的密切，没有及上中国的！”“中国画有中国画的独特面目，艺术同样使人静，而中国画使人静的效应为尤深，而且西洋画的静是偏于诉之于情感的，中国画的静乃是最后诉之于理智的；艺术同样表现人生，西洋画中所表现的人生是直接的，中国画中所表现的是间接的。中国画为理性的，而不是直观的，为音乐性的(故主张气韵生动)，而不是造型的；是时间的，令人感到往古的幽趣，

① 刘洁：“李长之画论研究与中国艺术理论的现代转换”，《河北大学学报（社会科学版）》，2014，39(2)。

不是空间的，不令人感到目前的刺激。中国画为理智的产物，所以是壮美的；中国画要求男性的，所以是壮美的；中国画要求老年的，所以是壮美的。即使有优美的要求，也是要经由壮美以达到优美的，所以它单纯、统一、简净、高超而庄严。因此，我觉得它有绝大价值，而且也有永久价值！”这些批评非常到位，不仅显示了作者对中西方文化、绘画、绘画理论的透彻了解和精确的判断，在比较中充满着对祖国文化的热爱，而且纵笔自如，于严密中透着生动，于贴切里饱含着诗情画意，极富表现力。一般的美学理论著作，或学究气十足，流于艰深晦涩；或为了迎合一般读者，陷于油滑浅俗，而《中国画论体系及其批评》显得深而厚，简而明，有诗意，蕴激情，侃侃而谈，逻辑严明，既有精湛的理解和深厚的理论，又不失语言的挥洒轻灵，读来亲切有味。

当然，历史上的中国画论是一种客观存在，其妍媸美丑，到底是壮美性还是优美性，仁者见仁，智者见智。站在不同的立场，运用不同的研究方法，兴会不同，在不同的语境下，可以有不同甚至完全相反的结论。中国画论也是一种历史的动态的存在，为了研究的需要和方便，我们可以选用“体系的——哲学的”，“所谓艺术本质的研究”的方法，但体系和历史的研究两者不能割裂，尤其不能将中国画论视为非历史的静止的模式去研究。《中国画论体系及其批评》虽然明言“本文的立论……主要地以宋元人的画为依归”，但“宋元人的画”是否能概括中国绘画的全部，人们也可以有不同的看法，即便如此，“宋元人的画”两者也有同有异，不能一概而论。《中国画论体系及其批评》以六七万字的规模对于中国画论进行研究，固然有言简意赅的优长，有时确也失之过简，在需要展开时没有展开，比如在“中国绘画中的一般的艺术问题”一节，有的地方仅只是提纲，令人遗憾。有些方面点到为止，缺乏进一步的分析；有的地方则在应该指出负面的影响之处，在需要加以深入探讨的地方付之阙如。比如对于中国画论中的士大夫意识，就未能指出其“反写实”“反对匠气”“反对作家”等观念阻碍迟滞了中国绘画及绘画理论的发展，等等。当然，这种叙述可能源于长之先生一直认为“说明只关系事实，其中本无价值判断，亦并不能作为价值判断的依据”[①]的理念，也可能与长之先生对于中国传统文化爱之甚深，以至“为美而热烈的爱护礼赞”有关。

按照梁实秋先生的意见，长之先生的《中国画论体系及其批评》“更能引人兴趣者乃是著者对于这个体系的批评”“结

① 李长之：“论如何谈中国文化”，《李长之文集》（1），河北：河北教育出版社，2006，7。

论”：“我觉得中国画是有绝大价值，有永久价值的，然而同时我觉得它没有前途，而且已经过去了。”“中国画在宋元到达了极峰，但也就是末途了。”“中国画的永久价值是一事，能不能继续是一事，像希腊的雕刻一样，不是只成了历史上的陈迹了吗？所以中国新文艺的开展，只有另行建造，另寻途径了。”梁实秋先生对于长之先生的这个结论有所保留，希望能够引起讨论，说“李先生的书使我们不能不想”。可惜的是，由于历史的某些原因，多少年过去了，这一问题并没有得到认真深入的探讨。

## 四

《中国画论体系及其批评》是学界第一次用西方的美学理论，主要是德国古典美学理论来观照中国的绘画理论体系，其中尤以温克尔曼和康德两位的影响最深。温克尔曼的《古代艺术史》“从所谓艺术本质的研究，也就正是由体系的——哲学的出发”为其做出了方法的表率，而康德的《判断力批判》则为其指出中国画的真精神“归结都是壮美”提供了理论内核。这不仅从《中国画论体系及其批评》的导言、正文的叙述，乃至注释中可以证之，也有外部证据辅助证明，因为在写作本书之时，也正是长之先生翻译并发表了《德意志艺术科学建立者温克尔曼之生平及著作》及康德《关于优美感与壮美感的考察》两文之时[①]。

有趣的是，对于长之先生创作《中国画论体系及其批评》影响最深、助力最大的国内美学家也有两位，一位是长之先生的业师邓以蛰先生，一位是长之先生的好友宗白华先生。不过，这两位先生的影响在本书中不是十分显豁，需要特别说明一下。

《中国画论体系及其批评》在书的末尾，署了写作时间："二十五年十二月五日作，三十一年十二月十九日重改。"

民国二十五年，是1936年，正是长之先生在清华大学哲学系应该毕业而尚未毕业之际。

长之先生是1931年考入清华大学生物系的，1933年转入哲学系，教授长之先生美学的老师正是邓以蛰先生。邓以蛰先生是著名书画家邓石如先生的后裔，在中国美学方面的建树颇大，对于以蛰先生的美学贡献和特点，宗白华先生曾评价说："邓先生对于中国艺术传统有深入研究，青年时期又曾到美国研习，还游历了欧洲不少国家。他写的文章，把西洋的科

① 前者发表于1936年《中山文化教育馆刊》3(3)，后者发表于1936年《文艺月刊》11(1、2)。

学精神和中国的艺术传统结合起来，分析问题很细致。因为他精于中国书画的鉴赏，所以他的那些论到中国书法、绘画的文章，深得中国艺术的真谛，曾使我受到不少教益。邓先生在美学上的贡献值得我们认真研究。”[①]长之先生非常崇敬自己的老师邓以蛰先生，他在《论中国人的美感之特质》一文中说：“中国人的美感能把理论与实践合而为一。换言之，即中国的艺术家与美学家，是可以一个人兼的，而且大半兼着，董其昌便是一例。西洋不然，艺术家很少谈起理论，理论家则很少能画能写作，甚而鉴赏即已不一定很丰富，康德便是一例。邓叔存先生能写能画能刻图章，这恐怕是中国式的美学家之最后代表了。”[②]

长之先生照理应该在1935年毕业，可是因为在清华大学求学期间长之先生并不太遵守教学纪律，也并不拿毕业太当回事。临毕业时，他忙于主编天津《益世报》、写《鲁迅批判》——既缺乏体育成绩，又因为没有按时上交邓以蛰先生的美学课的作业，于是中国美学史的课业成绩也阙如，于是毕业之事就延宕下来。尽管长之先生和以蛰先生师生之谊甚笃，长

① 宗白华：“代序”，自邓以蛰：《邓以蛰全集》，安徽：安徽教育出版社，1998，1。

② 李长之：“论中国人的美感之特质”，《李长之文集》（3），河北：河北教育出版社，2006年，332。

之先生最喜欢听以蛰先生的课，上课之余，还经常到以蛰先生家里看画，看字，把玩图章，向以蛰先生求教学问；以蛰先生也很喜爱这个才华横溢的学生，倾心尽力教授。不过以蛰先生端方谨严，一向较真，对于长之先生临毕业不交作业不肯玩忽，责令长之先生必须补交作业才能有中国美学史的成绩毕业。于是长之先生在1936年春天回到山东老家济南补交美学课的作业①，选的作业的题目即是“中国画论体系及其批评”。

明了《中国画论体系及其批评》是邓以蛰先生中国美学史课的作业一事，则此书与邓以蛰先生的关系也就自不待言。《中国画论体系及其批评》之所以能够“把西洋的科学精神和中国的艺术传统结合起来”，其条分缕析处如此精详到位，不能不说有着乃师的影子，得到了邓以蛰先生的真传。

《中国画论体系及其批评》的“重改”在“民国三十一年”，即1942年，正值长之先生在重庆中央大学教书之时。

长之先生虽然早在清华大学读书时就与宗白华先生神交，

① 据长之先生在1944年独立出版社出版的《中国画论体系及其批评》所署的时间，此文是“1936年12月5日作”。但所署年月可能有误。因为在1949年以后，长之先生在历次运动中交代的所谓罪行资料都谈到该文写于1936年的春天，是凭着它补交了中国美术史的作业，随后才于该年的秋天得以毕业的。如果是年底的话，长之先生不可能在是年的秋天拿到毕业证。当然也可能《中国画论体系及其批评》有两个版本。前者是补交的作业，作于春天；后者是根据前者又重新写定。不过，按照长之先生在文章中署押年月的习惯，这种可能性极小而误署的可能性较大。

但两人正式相识，成为莫逆，却是在重庆中央大学。宗白华先生早年留学德国习研哲学，回国后从事美学研究。由于长之先生也懂德文，对于德国古典哲学和文化也有较深入的研究，也由于欣赏长之先生的才气，宗白华先生在中央大学对于长之先生青眼有加，多方提携。他为长之先生翻译的《文艺史学与文艺科学》作序，为长之先生的《西洋哲学史》作书评，长之先生此时写的美学批评类文章也多在宗白华先生主编的《时事新报》"学灯"上发表。此时长之先生与徐悲鸿、陈之佛、吕斯百等画家相识往来，看画、品画、评画，形成了中央大学美术系绘画与绘画批评的良好互动的小环境。而在与宗白华先生朝夕相处中，两人志趣相投，异议相与析，更是促进和发展了长之先生对于中国书画的研究热情。比如他在1939年写的《唐代批评家张彦远与中国绘画》的篇末就明确表示"望读者并参看宗白华著《论中西画法之渊源与基础》，载《中央大学文艺丛刊》一卷二期，（1934）一文"[1]。由此可以看到宗白华的美学

[1] 长之先生此文发表于1938年12月出版的《再生》杂志第九、第十期上，用的笔名是"何逢"。近年颇有刊物误将此文的著作权归于宗白华先生并造成了不好的学术影响（见《学术月刊》1994年第1期编者按语。该编者按称"本文写作年代大约在 1946—1948 年，未公开发表过。现根据作者改定的手稿由林同华先生整理并校注，因篇幅关系本刊发表时又有删节请读者原谅"云云），以至于很多学者误以为《唐代批评家张彦远与中国绘画》一文出自宗白华先生之手而加以引用。

思想对于长之先生绘画批评理论的影响。在中央大学与宗白华等先生的交往相识，应是长之先生在事隔多年重新修订《中国画论体系及其批评》的重要契机。

当日用西方文化的观点研究中国绘画和书法，最卓有成绩的是邓以蛰先生和宗白华先生，号称“南宗北邓”。长之先生的《中国画论体系及其批评》受业沾溉于两位大家自是幸运之至！但长之先生显然并非沿着邓以蛰先生和宗白华先生的路数继续走下去，而是另辟蹊径，沿着自己选定的方向在走。

在接受西方哲学，运用西方美学理论研究中国绘画书法，同时深潜于中国文化，以中国文化为本位，在坚持艺术和审美的超功利性，在强调美育在国民教育中的功能等方面，邓以蛰先生、宗白华先生与长之先生是共同的。邓以蛰先生有家学渊源，书画篆刻俱佳，倡言“心画”“画史即画学”，仍以传统的“气韵为书画的最高境”[①]作为研究的鹄的，文风内敛而凝重；宗白华先生从美的欣赏的角度对中国书画做直观把握，从审美体验中揭示中国传统美学的特征，并上升到哲学高度，行文轻灵而优雅；长之先生则强调文艺研究的理论性、科学性、体系性，研究伊始便把目光放在书画理论的批评上，强调“一

① 邓以蛰：《邓以蛰全集》，安徽：安徽教育出版社，1998年：184。

个批评家不但要批评创作，还要批评‘批评’”[①]。这一研究路数不仅体现在其发硎之作《中国画论体系及其批评》上，也体现在他后来陆续写的《唐代批评家张彦远与中国绘画》以及《从陈之佛教授画展论到中国花卉画》《中国美术学院筹备期一届美展参观记》等文章上，而论文则在浪漫热情中透着犀利、理性，更具有青年的锐气和朝气。

长之先生写作《中国画论体系及其批评》时才刚刚大学毕业，不过26岁，重改《中国画论体系及其批评》时也才33岁，正是奋发有为之时。其以《中国画论体系及其批评》进入当日中国书画研究学界可谓异军突起，后生可畏，不可限量，展现了中国书画研究在邓以蛰、宗白华两位先生带动下薪火相传的勃勃生气。可惜的是，抗日战争胜利后，世事纷纭，时过境迁，后来长之先生专注于文学领域批评，1957年后更被禁锢失声，失去重弹此调的机会，给中国书画研究界留下不小的遗憾。

① 见本书114页。

# 目 录

# 一 导 言

在玛尔霍兹（Werner Mahrholz）讨论文艺科学的方法时，曾说学术材料的处理可有两种观点，一是体系的——哲学的（Systematisch–philosophisch），一是历史的——实用的（Historisch–pragmatisch），这见之于他的名著《文艺史学与文艺科学》（*Literargeschichte and Literarwissenschaft*）。温克耳曼[①]（Winckelmann）写他的《古代艺术史》（*Geschichte der Kunst des Altertums*），也分了两部分，第一部分是从所谓艺术本质的研究，也就正是由体系的——哲学的出发，第二部分是专讲演进，也就正是从历史的——实用的出发。

国人对于中国画论和中国画，在过去从历史的——实用的观点去整理者多，从体系的——哲学的观点去整理者则少。现在此作即从后者出发，做一个初步的尝试。

① 现通译为“温克尔曼”。——编者注

我觉得，一切艺术总是包括着三方面的问题，这是：一、主观——就是创作者的人格问题；二、对象——就是艺术品的取材问题；三、用具——就是创作者所借以表现艺术品之取材的手段问题。中国画在这三方面，无论理论上、实践上都有其特殊的问题与特殊的面目，从前所有的画论，似乎都可以隶属于这三者之中，因此，我们可以在好像没有头绪的画论中，找出一个体系来，并且因而可以看出中国画在艺术上之究竟的意义和价值来。

以现代的中国人去看中国传统上的文化，无疑是有点隔膜的，因为我们的生活太复杂了，使我们没有余裕去充分承受我们传统上的文化教养，但是我们同时却也有着一种方便，这就是我们的立脚点可以和传统的文化有一点距离，所以我终于解放了不少，而比起西洋人来，又当然比他们和中国传统的文化接近得多些，从这里看，现在倒未始不是一个考量中国文化的好机会。

通常那种可以意会，不可以言传的态度，我是不赞成的，因为，所谓不可以言传，是本没有可传呢？还是没有能力去传？本没有可传，就不必传；没有能力去传，那就须锻炼出传的能力。对于中国旧东西，我不赞成用原来的名词，囫囵吞枣的办法。我认为，凡是不能用语言表达的，就是根本没弄明白，凡是不能用现代语言表达的，就是没能运用现代人的眼光去弄明白。中国的佛学、画、文章……我都希望其早能用现代人的语言明明白白说出来。本篇之作，这也是其微意之一了。

中国的画，以宋元人为登峰造极，所以本文的立论，也主要的以宋元人的画为依归。

# 二　中国绘画上之主观问题

我们试从主观、对象、用具上看，则中国绘画的特点可以立见，而所有中国绘画的理论，也都可以看出一个系统来。这像许多铁屑一样，一放上磁石，就会马上若有一种秩序的光景了。

所谓主观，是指艺术品中所要表现的艺术家的人格。这是艺术品的核心；因为，对象不过是一个手段，用具就又是手段之手段而已，所以都比较次要。

在主观上看，中国人对于画所要求的，是三点，一是要求男性的，二是要求老年的，三是要求士大夫的。

## 1. 中国绘画所要求者为男性的：壮美

在要求男性的这一点上，我们可以由两方面去观察，一方面就消极意义看，看中国画里“不要求”什么；另一方面就积极意义看，看中国画里“要求”什么。中国画里不要求的是：第一，很少悲观色彩，例如元僧觉慧说：“吾尝以喜气写兰，怒气写竹”（明·李日华《六研斋二笔》）。有怒有喜，但是没有愁。愁是女性的。第二，反对琐屑，所以明龚贤《画诀》中说：“玲珑石最忌琐屑，琐屑美人图中物也”。在中国，以山水画为上，所谓美人图，实在是鄙夷的。照康德的意见，琐屑属于优美，而优美是关系女性的[①]。第三，反对闺阁气[②]。这都是反女性的。反之，中国画里要求的是：第一，我们可以看中国对于美感的术语，什么苍润、沉雄、淋漓、荒寒、健拔、简洁等，几乎都是属于壮美感的。甚而就是稍带优美的成分的

① 康德：“壮美的东西必须时时是大的，优美的东西却可以是小的。壮美的东西必须是单纯简净的，优美的东西却可以加上涂饰，点缀。”（Ernst Cassirer版之《康德全集》，卷二，页二四八）

又：“有一种琐屑性的精神，这是为一种精细的感觉所指明的，指明它的这种感觉却与壮美感所要达到的截然相反。”（同书，页二六五）

关于优美与女性之关系，康德在关于优美感与壮美感的考察中，专有一章论两性中壮美性与优美性之对立关系。（Von dem Unterschiede des Erbab，euen und Schonen in dem Gegenverbàltuis beider Geschlechter，同书，页二六九至二八五）

② 画忌六气……五曰闺阁气，描条软弱，全无骨力……——清·邹一桂《小山画谱》

又：今之画者，但贵其姱丽之容，是取悦于众目，不达画之理趣也。——郭若虚《图画见闻志》

美感，如明净、韵秀等，也多半是仍要隶属于壮美感之下，所以黄钺在《二十四画品》中明净条下说：“施朱傅粉，徒招众羞”；在韵秀条下说：“但抱妍骨，休憎面媸”。第二，我们要明白中国画的精神，乃是根本是诗的，与中国纯文艺之其他类属如词、曲等是不十分接近的。中国常说的“诗中有画，画中有诗”“诗是无形画，画是有形诗”，这个诗虽若泛指，但意境实与“词”“曲”不同。中国的“诗”，却是彻头彻尾以男性的情感为基础，什么豪放、闲适、沉郁……这都不是女性的情感。中国诗并不以抒情为正宗，那个领域乃是让与词曲了，而中国画所关连密切的，却毋宁正是诗，而不是词、曲。

因此，我说中国画在对于主观的要求上，第一是男性的。这实在是中国画的一个特点。我不信有任何其他民族对艺术，也这么在美感中排除女性的成分的了。不过这一点就很重要，因为中国画之不重色彩，不事绚烂，纯粹诉之于一种淳朴、单纯、庄严的壮美感者，正是和这极有关系的。

### 2. 中国绘画所要求者为老年的：壮美

主观上其次的一个要求，就是要老年的。这也可以从消极、积极两方面看：在消极方面，中国画反对稚弱；在积极方面，中国画要求苍劲、老到[①]。

这不但是技巧上的一个要求，乃同时是内容上的一个要求。像中国的诗、文一样，其所给予鉴赏者的境界，就是为一种老年的情感所包围着。说到原因，当然很多，我想最重要的一则是由于中国人不赞成年轻人有所创作的习惯和信念使然，因此有所表现的人便多半是老人，久而久之，成了一般的趣味，不是老年人，也要表现那种老年人的气息了。二则是由于用具的问题，中国艺术的用具，倘若运用得好，都需要相当的时间。在诗文方面是文字，中国文字之难，是人所公认的，在画的方面，就是笔墨了，笔墨的运用，却起码也得三十年，才能纯熟[②]。倘若一个人十几岁学画吧，只是用具方面，便必须在四十几岁以后才能有好一点的成绩，这时所表现的，当然是老年人的心境了。从这里，我们也可看出主观和用具的彼此关系来，以后我们将随时看到这三者——主观、对象、用具——

---

① 松竹梅，岁寒三友也，三者俱宜疏不宜密，而竹疏尤难，密复不宜，要使疏而不脱，密而不乱，方为老手。——清·汪之元《天下有山堂画艺》

写石用笔，如行云流水，不可凝滞，宁顽莫秀，宁拙莫巧，宁粗老莫软弱，此写石之大旨也。——清·汪之元《天下有山堂画艺》

孤树宜奇，成林不宜太奇，虽要秀，然须古，秀而不古则稚。——清·奚冈《树木山林石画法册》

② 要知从事笔墨者初十年，仅得略识笔墨性质，又十年而规模粗备，又十年而神理少得，三十年后乃可几于变化，此其大概也。——清·沈宗骞《芥舟学画编》

的互相限制，互相作用，而艺术的根本课题即在将三者合而为一，这就是：用某一种用具，恰恰适合于表现某一种对象，而某一种对象，又恰恰选择自某一种主观，同时，我们也将随时看到一种艺术的物质，固然可以分析地看，从这三者出发，去分别理解，但却也可以综合地看，从这三者的合一出发，去整个地领悟。——这却也就是我对于中国画论和中国画所要探讨的。

照了康德的意见，老年是属于壮美的①，所以从中国画对于主观上要求老年一点看，也可以看出中国画之壮美的成分。

一般的艺术表现，也没有像中国这样划然地要求老年的了，所以这又是中国画的一个特点。因为要求老年，所以在中国画的对象上，有"枯木竹石"，而且作了一个重要而高贵的取材。——在这里看出主观和对象的关涉！

### 3. 中国绘画所要求者为士大夫的

只是男性的、老年的，还不足以代表中国画在主观上的特色，更重要的一点，乃是要求士大夫的。

所谓士大夫的，就是要求绘画者是在社会上有地位，又有

---

① 康德："年长一点的人是多有一些壮美性的，年幼的人则多有一些优美的成分"。（Ernst Cassirer版之《康德全集》，卷二，页二五二）

文化教养的。这一点，其形成中国画之特殊面目者非常之大，关系中国画论之体系者非常之深。

我们先从反面看。中国画里反对匠气①，反对凡气②，反对市井气③，反对俗气④，同时，反对院工⑤，反对作家⑥，反对北派⑦。这里包括什么意义呢？可以说，大概一是反对没有文化教养，所以单是画得工致是不行的，只是工致，不过是匠气，院工、作家而已，从中国人的审美观念看来是不足取的；二是反

① 画忌六气……二曰匠气，工而无韵。……——清·邹一桂《小山画谱》

② 灵均作《离骚》，杂取香草，以示扶芳芰秽之意，绘家挥洒兰竹，亦是寓意，然非其人洁廉高韵，具嘘风漱云之肠，即按谱为之，凡气终不断。——明·李日华《竹嫩墨君类语》

③ 墨竹之法，只有两途，不入雅，便入俗。雅者如书卷气，纵不得于法，不失于雅，所谓文人之笔也。俗者有市井气，如山人墨客，僧道行家之习气耳。即使百法具备，终令俗病莫瘳，古人云唯俗不可医，信矣。——清·汪之元《天下有山堂画艺》

又：画山水中人物，须清如鹤，望如仙，不可带半点市井气。——清·王概《芥子园画传》

④ 画忌六气，一曰俗气，如村女涂脂。……——清·邹一桂《小山画谱》

⑤ 萧条淡泊，此难画之意，画者得之，览者未必识也。故飞走迟速，意浅之物易见，而闲和严静，趣远之心难形，若乃高下向背，远近重复，此画工之艺尔，非精鉴之事也。——宋·欧阳修《试笔》

后来有人赞扬这种看法：此论实倪王诸家不传之诀，欧公已见及此，则画院工匠所为，不值公一笑矣。——清·程庭鹭《箬庵画麈》

⑥ 画有士人之画，有作家之画。士人之画，妙而不必求工。作家之画，工而未必尽妙。故与其工而不妙，不若妙而不工。——清·盛大士《溪谷卧游录》

⑦ 古人作画，多尚细润，唐至北宋皆然。自马远与夏珪，始肆意水墨，行笔粗硬，不复陵古，而画法蔑废。——明·都穆《南濠居士文跋》

对太诉之于大多数人的口味，所以如果单为一般人所接受是并不一定好的，那样，便容易是凡气、俗气、市井气了，这里头乃是有一种社会地位的要求，就是在中国绘画的领域里，要求表现一种优越的地位的人之生活情感，而且要为具有同样生活情感，同样优越地位的人所接受；三是反对把绘画不看作业余的意味，所以专门绘画，把绘画当作首要的事的人，并不能引起中国人对于他的艺术的敬意，因为这样就还是归入院工、作家，或者匠气一流了。在中国的绘画里轻视北派，是有许多理由的，但其中之一，我想就在他们表现得太浅露了，其美感是太诉之于一般人，同时似乎他们太矜持了，太有意造作了，因而失却了业余的意味。

这些只是在消极方面，看出中国画在对于主观的要求上，反对那与士大夫精神相背驰的倾向。下面我们便再从积极方面，做一个考察。

## 4. 其一：士大夫的意识

首先，是所谓士大夫这一个成分，不特在作品方面（客观上）是一个事实，而且在创作家方面（主观上）也始终有这种意识。因此，所谓中国画中之士大夫的成分者首先即包括一种士大夫的意识。

在作者，是清清楚楚地觉得他们是要表现为士大夫的，倘若作到，就认为成功，否则就是最大的失败了。他们所要争辩的，是争辩在这一点；所要排除的，是排除那和这相反的一点；对外面毁誉所最关切的，也都集中在这一点。至于鉴赏者、批评家更不用说，似乎比在所谓革命文学中曾一度检定人的普洛[1]意识者还要严格。要有士大夫的意识，这是中国画在对主观的要求上，士大夫成分的第一点。

## 5. 其二：士大夫的生活

因为是士大夫的，所以中国画几乎与士大夫的任何有关的事物都相关起来。中国的画，变成不是单纯的画的问题了，乃是整个的士大夫的生活的反映。无形之中，中国画成了一种文化集体之物。

中国在过去的政治是君臣关系的，所以影响到中国一切的艺术的形式，这便是都有宾主的布局。画当然也没作了例外，所以在所传王维所作的《画学秘诀》中有“主峰最宜高耸，客

① 英文proletariat的音译。指无产阶级，现通译为“普罗列塔利亚”。——编者注

山须是奔趋”的话，明代董其昌《画禅室随笔》中也有“凡画山水，先立宾主之位，次定远近之形，然后穿凿景物，摆布高低”的话。这一点在其他民族的艺术中，虽然不敢说是全被忽视着，但是其要求的清楚，恐怕再没有像中国人这样清楚的了。这原因就在中国画既与士大夫有关，而士大夫没有不参与政治的——即便不实际参与，那只是机会问题，兴致总是有的。这样，所以就把政治上的观念，弄到美感上来了。

士大夫没有不弄文章的，于是画与文章也有了关系。有的直然以为是一件东西！

> 古人所以传者，天地秘藏之理，泄而为文章，以文章浩瀚之气，发而为书画。
>
> ——清·周二学《一角编》

有的则从审美的要求上，认为二者的理想相同[①]，再有的则是在方法上，看出二者的相通[②]，特别是在布局方面之起承转合上[③]，

---

① 点画清真，画法原通于书法，风神超逸，绘心复合于文心。——清·笪重光《画筌》

② 钱香树论作文曰用笔须重，重则厚而古，此语深得文之三昧，余谓画亦如是。——清·张庚《浦山论画》

③ 见写竹非排叠不成大段，排笔沉着，如诗文之有排偶也。……凡接叶用个字，或平四叶；用笔当疏落散逸，意在承上起下，如诗文之有连络也。——清·蒋和《写竹杂记》

又：竹叶起自四笔耳，虽千万叶之多，亦只如此，然此四笔，乃文章家之起承转合也。——清·汪之元《天下有山堂画艺》

更有的，就直然以画与八股比较了[①]，本来，八股也是士大夫生活中很重要的事，而为一生的荣辱成败所系了的。

中国画与诗的关系，是大家所习知的，可不多赘，大涤子所谓："画即诗中意，诗是画里禅"，似乎比郭熙所说："诗是无形画，画是有形诗"，还要透彻。诗本来也是士大夫精神所寄托的东西，画又是士大夫所用了全力，几乎把他生活中的各部分都渗透于其中的，当然诗与画会这么密切。

降而至于棋[②]，医药[③]，中国人也无不拿来取作讲画的论据了。这也就是因为这些事都是士大夫的生活之一部分的缘故。

中国画与书法，更有不解缘，但我们将留在用具一项论之。

同时，中国画乃是一种综合艺术，不但画的本身为大家所讲究，就是画的装饰，所谓款题，图书等，也成了中国画中重

---

① 凡画山水，须明分合，分笔乃大纲宗也，有一幅之分，有一段之分，于此了然，则画道过半矣。——明·董其昌《画禅室随笔》

② 凡画起手须宽，以起势与弈棋同，若局于一角，则处处无生路矣。——清·盛大士《溪山卧游录》

③ 借宾以成主，苔虽数点，而取助非轻，俗手辄谓点苔为作画之末事，何异俗医，不知甘草之有大用，动于方末缀出，谓其能合群药，夫甘草岂仅合群药之用哉？知此可与言点苔。——清·华琳《南宗抉秘》

又：当于画出主树之后，先落一二笔，以取其势，次定宾主，次分阴阳，类医家之立方，有君而后有臣，有佐使也。——清·华琳《南宗抉秘》

要的问题，前人讨论的很多[①]。这些也都是只有士大夫才能措手的，所以单单专门画，就想在中国画史上占一个很高的位置，是不可能的。

大涤子《题画诗跋》中，有一首诗道：

是竹是兰皆是道，乱涂大叶君莫笑，香风满纸忽然来，清湘倾出西厢调。

我们就可以知道这一幅画中是包括多少东西，是有多少文化上积累的传统，在这些文化传统之中，乃是只有凑泊了士大夫的生活经验才可以印证出来的。

所以，中国画是关系着并贯通着士大夫的各方面的生活的。这是中国画在对主观的要求上，士大夫成分中的第二点。

## 6. 其三：士大夫的教养

方才我们说的政治、文章、诗、棋、医药、书法……这只

① 见元以前多不用款，款或隐之石隙，恐书不精，有伤画局，后来书绘并工，附丽成观。——明·沈灏《画麈》

又：款题图画，始自苏米，至元明而遂多。以题语位置画境者亦因题益妙，高情逸思，画之不足，题以发之，后世乃为滥觞。——清·方董《山静居画论》

又：古人颇重画题，宋郭熙《林泉高致集》中画题甚夥。——近人余绍宋《画法要录》

是士大夫的生活之外在的方面，我们见出那是在与绘画相关了，我们倘若更进一步看，则中国人在绘画上，所要求于作者的不只是要具有士大夫的生活，更重要的，乃是要求具有更内在的意味的士大夫的教养。

士大夫的教养，首要的便是读书与行路，所以董其昌在画旨里说："不行万里路，不读万卷书，欲作画祖，其可得乎？"

读书一层，在我们很易了解，因为画既是要求士大夫的，士大夫的大部教养实在是得自书本。但是，行路是什么道理呢？这费一点周折，然而也很好明白。因为中国人在思想的主流上，不外是儒、佛、道三个成分，这在起初或者还有所轩轾，但是久而久之，便互相融化，互相吸收了，这样遂形成一种综合的新的伦理标准。儒家的精神本来是"知其不可而为之"的，但是同时却也有一种"用之则行，舍之则藏"的态度，我们想，"用行"的机会当然不会多过于"舍藏"的，安于"舍藏"，就形成一种闲适、淡雅、退休的意趣了。就是这一点，乃与佛、道的山林气合而为一（佛、道要修行，以山林为依据，是当然的）。因此，这种新形成的伦理标准，包括儒、佛、道三者的思想而不相冲突者，乃即在对于大自然的一种向往和欣赏上表现而出了。因为这样，中国画的对象，多选择山水；因为这样，所以对于艺术家便要求多行路了。

讲到这种思想背景上去，就可更见出中国画之受其支配之大。中国画是不重形似的，在许多原因之中，佛教思想当是很重要的一个。因为佛教是根本以形体为不净的。于是在无形之中，遂使受了这种思想影响的士大夫，对于写实有一种厌弃。

也因为山林的缘故，所以中国画里所表现的是一种冷然的理智色彩。

我们再看，中国画有特别和儒家的精神的接近处，这是：一是把画认为有一种进德修业的意味①，例如在画中要求的珠圆玉润，便直然是在做人上要求的敦厚温柔；二是把做画认为有独立尊严的立场，不能为外界所屈服②，这就恰是儒家所谓“富贵不能淫，贫贱不能移，威武不能屈”的态度；三是直然把儒家实践的伦理学方法，用之于画，于是也把画的终极目的认为“成性存诚”③。不过，中国画中虽然有这样深的儒家色彩，但无碍于其中有同样浸淫甚深的佛、道成分。

---

① 墨竹之妙，全在游泳于矩度之中，奔放于形迹之外，加之沉郁顿挫，则不至敧侧怒张；婉转低回，自不落锋芒圭角。——清·汪之元《天下有山堂画艺》

② 古人能文不求荐举，学画不求知赏，曰文以达吾心，画以适吾意，草衣藿食，不肯向人，盖王公贵戚，无能招使，知亦不可荣辱也，笔墨之道，非有道者不能。——清·吴历《墨井画跋》

③ 画之有董巨，犹吾儒之有孔颜也，余少侍先奉常，并私淑思翁，近始略得津涯，方知初起处，从无画看出有画，即从有画看到无画，为成性存诚宗旨。——清·王原祁《麓台题画稿》

大涤子在《题画诗跋》中，有题一幅“古木寒塘野老独行”的，题道：“浮云高士节，枯木道人心”，上句即儒家，下句即道家了，但丝毫没见其不调和，所以中国画中的综合的思想色彩，已经是这样到达炉火纯青的地步了。

像这种由读书、行路等而获得的精神上的教养，是中国画在对主观的要求上，士大夫成分中的第三点。

## 7. 其四：士大夫的人格

我们现在似乎可以再进一步，看一看在这种教养之下所形成的人格之具体的轮廓了。

我仍不能已于言的，是中国艺术（特别是诗、文、画），其骨子里儒家的思想是多么深的一事。过去，中国只注意儒家那种规步矩行的态度，换句话，就是只注意了那道学气了，殊不知这只是儒家的一翼而已，另一翼却是高人雅士之闲适的风度。我们可以在《论语》里，找出这源渊来：

> 子曰：贤哉回也，一箪食，一瓢饮，在陋巷，人不堪其忧，回也不改其乐，贤哉回也！
>
> ——《雍也》

子曰：饭疏食，饮水，曲肱而枕之，乐亦在其中矣，不义而富且贵，于我如浮云。

——《述而》

子曰：君子坦荡荡，小人长戚戚。

——《述而》

……“点，尔何如？”鼓瑟希，铿尔，舍瑟而作，对曰：“异乎三子者之撰。”

子曰：“何伤乎？亦各言其志也！”曰：“莫春者，春服既成，冠者五六人，童子六七人，浴乎沂，风乎舞雩，咏而归。”夫子喟然叹曰：“吾与点也！”

——《先进》

这种安贫乐道的精神，就正是中国后来士大夫教养下所形成的闲适的精神。这在中国已成了一种很可贵的人生态度，贯串于各种艺术、各种文艺制作之中了。

从闲适到雅，是一转手间的事。中国所要求于士大夫的人格的，就是雅。宋代韩拙《山水纯全集》中说：

凡画人物，不可粗俗，贵纯雅而幽闲，其隐居傲逸之士，当与村居耕叟渔父辈，体貌不同。

纯雅而幽闲，这说明了中国人对于士大夫的人格的理想。俗是雅的对面，所以中国画论中辨雅俗的地方也便非常之多[①]。到了宋元人，大概在画中表现这种雅的人格，达于完成：

画不以宋元人为基，则如弈棋无子，空枰何凭下手？怀抱清旷，情兴洒然，落笔自有山林之趣。

——清·吴历《墨井画跋》

这种人格，当然也需要一种理想的生活背景，那便是：

高遁不必买山，有草亭竹木，亦可幽栖也。盖竹乃四

---

① 画俗约有五：曰格俗、韵俗、气俗、笔俗、图俗。其人既不喜临摹古人，又不能自出精意，平铺直叙，千篇一律者谓之格俗；纯用水墨渲染，仅见片白片黑，无从寻其笔墨之趣者，谓之韵俗；格局无异于人，而意窒滞，墨气昏暗，谓之气俗；狃于俗师指授，不识古人用笔之道，或燥笔如弸，或呆笔如刷……故作狂态者，谓之笔俗；非古名贤事迹及风雅名目，专取谀颂繁华，与一切不入诗料之事者，谓之图俗。……雅之大略亦有五：古淡天真，不著一点色相者，高雅也；布局有法，行笔有本，变化之至而不离乎矩矱者，典雅也；平原疏木，远岫寒沙，隐隐遥岑，盈盈秋水，笔墨无多，愈玩之而愈无穷者，隽雅也；神恬气静，使人顿消其躁妄之气者，和雅也；能集前古各家之长，而自成一种风度，且不失名贵卷轴之气者，大雅也。——清·沈宗骞《芥舟学画编》

时苍翠，声心静宜，独坐其中，抱素琴，得趣悠悠，乐而至于老。

——清·吴历《墨井画跋》

倘若从主观方面讲气韵，则只有在人格上到了这种雅的境界，然后才有气韵可言，这样的意见我们可以宋代郭若虚《图画见闻志》为代表：

六法精论，万古不移，然而骨法用笔以下，各法可学而能，如其气韵，必在生知，固不可以巧密得，复不可以岁月致，默契神会，不知然而然也。尝试论之，窃观自古奇迹，多是轩冕才贤，岩穴上士，依仁游艺，探颐钩深，高雅之情，一寄于画，人品既已高矣，气韵不得不高，气韵既已高矣，生动不得不至。

我说从闲适到雅，是一转手间的事。从雅，又一转手间的事，就是逸。“逸”才是中国画对于主观的要求上之最高峰，也才是画的顶点。元代倪瓒说过好些回：

仆之所谓画者，不过逸笔，草草不求形似，聊以自娱。

以中每爱余画竹，余之竹聊以写胸中逸气耳，岂复较其似与非，叶之繁与疏，枝之斜与横哉？或涂抹久之，他人视以为麻，为芦，仆亦不能强辨为竹，真没奈览者何。

这种艺术的名言，差不多作了后来中国画所要表现的精神之核心与正统了。清代吴历在赞美中又叙述着这种境界道：

元人择僻静地，结构高楼为画所，朝起看四山烟云变幻，得一新境，便欣然落墨，大都如草书法，唯写胸中逸气耳。一树一石，迥然不同。

只是儒家的思想，不过单走到“闲适”，充其量，不过走到“雅”，和佛、道的思想成了合流，便成了顺势而下地走到“逸”了。所谓闲适者，只是对于有实际利害的生活忘怀得失而已，雅便是对于有实际利害的生活能够超越了的光景了，到逸乃是对于有实际利害的生活实行游离了，到这里也就是士大夫所受的文化教养不能再进的地步了，于是成了士大夫的人格的理想境界，也成了中国画的最终极目的。要求这种理想的——逸的——人格，是中国画在对主观的要求上，士大夫成分的第四点。

## 8. 其五：反写实的精神

因为是与实生活游离的，士大夫精神表现在画里，遂有一种反写实的态度。上面所引“聊写胸中逸气，不求形似”已可见。但是我们必须更加以注意者，就是中国画在这一方面，并不是泛泛的偶而的论调，乃是常常如此，而且又有点故意的走极端的意味的。例如苏轼画竹子，不要节①；又有所谓朱竹。竹子应该有节，但是，画者可以偏不要节，竹子的颜色应该是绿的，如果不设色，用墨色也罢了，既设色，却用红的，这都是故意和写实的态度相反的。然而中国人在这地方，不唯不加指责，反加原谅，或者说：“兴到为之，不计其有无耳”（《石渠宝笈》卷六：明孙克弘及诸家朱竹卷克弘自跋），或者说：“鉴者固当赏诸骊黄之外”（清·戴熙《习苦斋画絮》），这是外国绘画里所没有的。

在理论上直然反对写实的，也很多。画树不是应该像树么，但是在中国人看，像了反不好：

---

① 苏轼子瞻作墨竹，从地一直起至顶，余问何不逐节分，曰竹生时何尝逐节生？运思清拔，出于文同与可，自谓与文拈一瓣香。——宋·米芾《画史》

画梅要不像，像则失之刻，要不到，到则失之描。

——清·查礼《画梅题跋》

画家写意，必须有意到笔不到处，方称逸品。

——清·查礼《画梅题跋》

画人物，也是重在传神，而形貌等则居于次要：

不曰形曰貌而曰神者以天下之人形同者有之，貌类者有之，至于神，则有不能相同者矣。

——清·沈宗骞《芥舟学画编》

这种传神的论调，同时又不只在人物像，其实乃是扩充到一切画，甚而写生画上去[1]；写实有什么不好呢？唯一的理由，乃是写实了就俗了[2]。其实这也是当然的，因为中国画是士大夫的，士大夫的生活已经和一般的现实生活有了距离了，所以不会很写实，而且在士大夫的意识里头，他们有一种优越的地位的自觉，太钉住于现实，便似乎和身份有碍了。

① 凡写生必须博物，久之自可通神，古人贱形而贵神，以意到笔到为妙。——明·屈大均《广东新语》

② 几席屏榻之工，不可太工，工则俗。——清·王概《芥子园画传》

中国画的面目是慢慢形成的，所以这种反写实的倾向，来源也很早。在唐代张彦远就已经这样主张了！

> 古之画，或遗其形似，而尚其骨气，以形似之外求其画；此难与俗人道也。今之画纵得形似，而气韵不生。以气韵求其画，则形似在其间矣。
>
> ——《历代名画记》

到了宋代，就更明显了，宋代晁说之《景迂生集》有："画写物外形，要物形不改，诗传画外意，贵有画中态"；《苏东坡集》有："论画以形似，见与儿童邻，作诗必此诗，定非知诗人"，后来董其昌在《画旨》里说前者是宋人画，后者是元人画。意思之间，好像宋人比较写实一点，是要求所谓"要物形不改"的了，但就是这写实的怎么样，上面却还是一句"画写物外形"，可见也仍是有一种"反写实"的精神在内了。

不要写实，不要工致，不要形似，这是中国画家的正统。自然，中国画也有写实的要求的，例如画竹，要看真竹子[1]，

① 当看真竹，以究物理。——清·蒋和《画竹杂记》

画生物，要研究生物的生活[①]，画人物要讲远近、大小、比例[②]，有时竟注意到光线[③]，也想到解剖[④]，山水画还要看真山

① 画翎毛者必须知识诸禽形体名件。——宋·郭若虚《图画见闻志》

又：曾云巢无疑工画草虫，年迈愈精，余尝问其有所传乎？无疑笑曰：是岂有法可传哉？某自少时取草虫笼而观之，穷昼夜不厌，又恐其神之不完也，复就草地之间观之，于是始得其天，方其落笔之际，不知我之为草虫耶，草虫之为我也，此与造化生物之机缄，盖无以异，岂有可传之法哉！——宋·罗大经《鹤林玉露》

又：宣和殿前，植荔枝既结实，喜动天颜，偶孔雀在其下，亟召画院众史令图之，各极其思，笔彩烂然，但孔雀欲升藤墩，先举右脚，上曰：未也。众史愕然莫测，后数日再呼问之，莫知所对，则降旨曰：孔雀升高，必先举左。众史骇然。——宋·邓椿《画继》

又：易元吉尝于长沙所居之舍后，开圃凿池，间以乱石丛篁，梅菊葭苍，多驯养水禽山兽，以伺其动静游息之态，以资于画笔之思致，故写动植之态，无出其右者。——《宣和画谱》

② 丈山尺树寸马分人，远人无目，远树无枝，远山无石，隐隐如眉，远水无波，高与云齐，此是诀也。——唐·王维《山水论》

又：人之面貌，其丰歉盈缩长短阔狭之数，若有一定，……至于三停五眼之说，亦无或异，三停者自顶至眉为一停，自眉到鼻为一停，五眼者人两耳中间有五眼地位，……将为人作照，先观其面盘，当以何字例之。顶锐而下宽者由字形也，顶宽而下窄者甲字形也，方而上下相同者田字形也，中间宽而上下皆窄者申字形也，上下皆方而狭长者目字形也，上下皆方而扁阔者四字形也。……——清·沈宗骞《芥舟学画编》

③ 光背则笔画反，光正则笔画明。——清·丁皋《写真秘诀》附录《退学轩问答》

④ 初学作人物……又一说凡初学者先将裸体骨骼约定，后施衣服，亦是起身一法。——清·沈宗骞《芥舟学画编》

水[①]；……然而我们必须注意的是：第一，这和对象有关系，生物和人物比较要求写实的成分大些，山水就比较要求写实的成分小些，不过在中国向来是着重山水，而轻视人物的，就是花卉也只是中国画中的一个小支流，所以这样看来，中国画的主要精神就还是反写实的了。第二，就是在山水画之中，与其说看真山水是一种写实的要求，倒不如说是一种生修养的要求。真山水者不过在培养一个画家的逸气而已，他究竟并不是要求死钉在那儿，真像西洋画家的写生似的。第三，我们知道这种稍涉写实的主张，是极少数的，而且一向在中国并不重视。第四，我们要知道我们是寻求和其他民族艺术的异点的，此种少数写实的主张，实在和其他民族没有太大的分别，反之，在反写实的倾向上却是在任何民族的艺术中没有这么明显，这么强烈，而且维持这么久，又看得这么重要的。因此，我们还是宁

① 画泉宜得势，闻之似有声，即在古人画中，见过，摹临过，亦须看实景始得。——明·龚贤《画诀》

又：董源以江南真山水为稿本。黄公望隐虞山，即写虞山，皴色俱肖，且日囊笔砚，遇云姿树态，临勒不舍。郭河阳至取真云惊涛作山势，尤称巧绝，应知古人稿本在大块内，吾心中，慧心人自能观着。——明·沈灏《画麈》

又：凡学画者看真山真水，极长学问，便脱时人笔下套子，便无作家俗气。古人云墨沈留山影，笔法传石神，此之谓也。盖山水所难，在咫尺之间有千里万里之势，不善者纵横画旧人粉本，其意原自远，到手落笔反近矣。故画山水而不亲临极高极深，徒模仿旧人栈道瀑布，终是模糊丘壑，未可便得佳境。——明·唐志契《绘事微言》

把我们的眼光转在反写实上。

反写实精神的理论化，就是“以大观小”的说法[①]，这是很妙的一个理论。沈括打了个比方，说好像是“人观假山”，那么，当然什么东西都可望到，而且可以随便安排了。我们试去一想，其实这不正是因为士大夫的意识，觉得自己地位优越的心理之反映么？所谓超然物外，不正是轻视物内（这也只是在物质的生活满足了以后的场合）吗？所以这种反写实的精神，实在即在士大夫的地位使然。反写实的精神，是中国画在对主观的要求上，士大夫成分的第五点。

## 9. 其六：中国画中之形上学

我常觉得中国画有一种形上学。倘若说出来的话，就是一个“理”字。

不过在中国画论中，“理”字的意义很多，大概第一种就是指事物间彼此的关系，换言之，这种“理”就是自然间的客

① 李成画山上亭馆及楼塔之类，皆仰画飞檐，其说以为自下望上，如人平地望塔檐，见其榱桷，此论非也。大都山水之法，盖以大观小，如人观假山耳。若同真山之法，以下望上，只合见一重山，岂可重重悉见，兼不应见其溪谷间事，又如屋舍亦不应见其中庭及后巷中事，若人在东立，则山西便合是远境，人在西立，则山东却合是远境，如何成画？李君盖不知以大观小之法，其间折高、折远，自有妙理，岂在掀屋角也。——宋·沈括《梦溪笔谈》

观事实，为画家所不能违背的。如：

每于秋冬木叶尽脱时，或游园林，或登名山，见日月光照竹木之影，或见于地，或见于墙，留心观其影，与真枝干两相比较，则画理了然明矣。

——清·王寅《冶梅梅谱》

作画在先通画理，画中之理，即造物之理也。

——清·潘曾莹《鸿波馆画识》

这都说得很清楚。第二种所谓“理”是指对于技术方面的了解的，这就是：

作画只是个理字最要紧，吴融诗云良工善得丹青理。

——元·黄公望《写山水诀》

但还有第三种，大涤子所谓：

理尽法无尽，法尽理生矣。

——《大涤子题画诗跋》

又说："真识相触，如镜写影，初何容心"，这里所谓理乃明明是指明中国画所要求的不是实（Real），乃是真（Reality）了，真就是"理"，在这里是开中国画中反写实的精神的唯一的钥匙。中国不贵形而贵"理"！

苏子曰：世之工人，或能曲尽其形，至于其理，非高人逸才不能办。

——宋·黄庭坚《山谷集·刘明仲墨竹赋》

如果得到这种"理"，那么画的一切问题都变为次要：

写竹写石，简乃贵，此卷不用简而用繁，因其势而纵横之，亦以得其理耳。理得则一叶不为少，万竿不为多也。

——明·鲁得之《墨君题语》

这种"理"仿佛就是宇宙间永恒的真相似的，画者不过是其副本而已，既然如此，所以得之也很难，照了中国理论家的说法，则只有由士大夫的修养才可以做到：

性者天所赋之体，机者人神之用，机之发，万变生焉，唯画造其理者能因性之自然，究物之微妙，心会神融，默契动静于一毫，投乎万象，则形质动荡，气韵飘然矣。故昧于理者心为绪使，性为物迁，归于尘坌，扰于物役，从为笔墨之所使耳，安足以语天地之真哉？是以山水之妙，多专于逸才隐遁之流，名卿高蹈之士，悟空识性，明了烛物，得其趣者之所作也。况山水之乐，林泉之兴，岂庸愚贱隶贪懦鄙夫，至于粗俗者之所为也？

——宋·张怀《论画》

这里所谓天地之真，正是我所谓宇宙间的真相。这种“理”的论调，实在是中国画中的形上学。“理”的性质是先验的（a priori）。理和法不同，理是理论的（theoretisch），法是实践的（praktisch）。

上面所说“理”字的三义，其余二义虽然不是直接说这形上学的“理”的，然而也并不冲突，因为所谓事物间彼此的关系，正是这种“理”字的浅说，而且就画家方面说，是起码不违背这点显而易见的关系，才能得到那种形上的“理”的；至于技术方面的了解的“理”，更是帮助着表现那种形上的“理”的了，因此，三义也不妨说是一义。

因为中国画是要求表现这种“理”，而不是要求表现形的，所以中国画的对象就势必要找一种形状虽然不一定，然而可以作为士大夫信念中不变的“理”的寄托的，然后可说这是山水。所以苏东坡说：

> 余尝论画，以为人禽宫室器用，法有常形，至于山石竹木，水波烟云，虽无常形，而有常理。
>
> ——《东坡集》

这也可以见对象和主观相关的一例。

中国画中之形上学的根据。“理”，这是中国画对主观的要求上，士大夫成分的第六点。

## 10. 关于中国绘画之要求“士大夫的”的总结：壮美

凡此六点，士大夫的意识，士大夫的生活，士大夫的教养，士大夫的人格，反写实的精神，以及作为形上学的根据的理，造成了中国画对主观的要求上第三个重要的特点。在任何其他民族的艺术，恐怕没有要求这样严格的了。所以在画的领域里，就画家的人格说，也就没有像中国这样整齐划一的了。

由于士大夫的成分的要求，在中国画里便有了两种影响，一是把绘画认为是余事，是把绘画的种种方面使其趋于单简。关于前者，我们由下说可见：

墨戏之作，盖士大夫词翰之余，适一时之兴趣。

——吴仲圭

画之贵乎有笔，不在夫丹青朱黄铅粉之工，故有以淡墨挥扫，整整斜斜，不专于形似而独得于象外者往往不出于画史而多出于词人墨卿之所作，盖胸中所得固已吞云梦之八九，而文章翰墨形容所不逮，故一寄于毫楮，则拂云而高寒，傲雪而玉立，与夫摇风吟月之状，虽执热，使人亟挟纩也。

——《宣和画谱》

关于后者，我们由下说可见：

古所传名迹人物，其妙者多出于潇洒流利，而不在于精整密致，盖精整密致者人为之规矩，潇洒流利者天然之变化也。

——清·沈宗骞《芥舟学画编》

宋以前人都不作小幅，小幅自南宋以后始盛，又僧巨然笔绝少丈余，画卷长卷，亦唯院体诸人有之。

——明·董其昌《容台集》

画一窠一石，当逸笔撇脱，有士人家风，才多便入画工之流。

——元·黄公望《写山水诀》

为什么要认为是余事呢？这是因为士大夫既有士大夫的意识，倘若不认为是余事，便成了画匠了；士大夫既有士大夫的生活，他势必不能把精神专拘束于此，士大夫既有他的教养与人格，本是要超脱，要雅的，倘仍在画里头“玩物丧志”，就未免和根本精神相背了。

趋简是跟着余事来的，况且从形上学的根据的“理”，到表现为反写实的作风的“逸”，繁重是无须乎的，而且会和这背道而驰呢。

单简却又是壮美的一个条件，温克耳曼说：“由单纯与统一，一切优美性转而为壮美”[①]，所以从士大夫的成分看来，也可以确定中国画之壮美特点。

## 11. 关于中国绘画在主观上的要求的总结：壮美

中国画在对主观的要求上，是三点：男性的，老年的，士大夫的。归结都是壮美性。——这乃是中国画的真精神和独特处。

① 维也纳菲冬书店（Phaidon Ver Lag）出版之《古代艺术史》，页一四九。

# 三　中国绘画上之对象问题

## 1. 人物画缺少的原因

中国画，不像其他民族的艺术一样，在对象上漫无选择。无论就质论，就量论，中国画的对象，却都有其特点。因为中国画所画的东西，只是一种代表的意义，所以中国的山水，并不是风景画，中国的花卉，也不是写生画，其背后乃是另有一种意义的，这就是就性质论，中国画和其他民族的艺术一个大不同处。至于就数量论，在中国，又仿佛天然规定了许多对象，是可以入画的，却又有大部分对象，是不可以入画的，因此中国画的对象，乃是只就自然间的事物中限制在某一种范围的，这是和其他民族艺术的对象另一个大不同处。

中国画，对于人物，是居于一个次要的地位。一方面是视为畏途。

顾恺之曰：画人最难。

——唐·张彦远《历代名画记》

画人物最为难工，虽得其形似，则往往乏韵。

——《宣和画谱》

人物于画最为难工，盖拘于形似位置，则失神韵气象。

——元·汤垕《画论》

一方面是并不重视：

山之人物，以标道路，山之楼观，以标胜概。

——宋·郭熙《林泉高致集》

山水上人物，不拘巨细，人物犬马，屋木桥梁，只是点焠而成，仿佛便休，后生不知法度，描染细巧，以媚俗眼，此是人物景致，便成补衲，非山水也。

——元·李澄叟《画山水诀》

那么，人物者便只成了中国画中的点缀而已了。

从数量上看，中国的人物画也远不如山水画之多。至于在画论中，分配的尤为明显。近人余绍宋于其《画法要录二编》例言中，说到这种现象，并且推测到此中的原故：

通计总分两录，所得不过五十余条，夫人物画在画史中起源既最先，发展亦最古，而作法之遗留反少者何也？推求其故，盖有四焉。唐代以前，大家如……不闻有所撰述……其一也。五代以前，即有撰述，已因兵燹散失，赵宋以后，山水花鸟，各科渐兴，人物画渐不为士大夫所重，故事释道鬼神诸画，遂以衰弱，既鲜专工之人，又无专载之籍。欲存其术，不亦难乎，其二也。至于寻常人物及仕女美人，宋元以后，亦非士大夫所重，米南宫至谓为贵游赏观，不入雅鉴（见画史），故研求之者益鲜其人，即有一二杰出之才非唐六如之潇洒，不屑以斯道自鸣，即如仇十洲之无文，不能笔之简册，宜斯术之益微矣，其三也。山水兰竹之属，虽求其工，固非易事，而文人略事学习，便可成形，且可托之高逸，故著述独多，若人物则至少非一二十年之苦工，不能领略，……无怪山水兰竹之谱无虑数十家，而人物谱，独寥寥也，……其四也。

前编仅山水一端，而宋录已如是繁富，是编所含多至十种（一曰人物，二曰传神，三曰宫室，器用附焉，四曰畜兽，龙鱼附焉，五曰翎毛，草虫附焉，六曰花木，蔬果附焉，七曰墨竹，八曰墨兰，九曰墨梅），而宋录所得，尚不逮山水一端者何耶？盖工山水者多文人学士，恒借以陶写性情，发抒胸臆，故偶有所得，或有所寄托，恒著于篇。兹编除墨竹外，著论者极少。……观前编所采之书，凡百数十种，兹编合十类，所采不过百种，从可知矣。……夫为类之繁如彼，米辑之宽如此，而所得仅此，真无可如何之事矣。

这些话都是很可以值得注意的，由数量上论，可以说山水画的画论殆多过于其他部门的画论十倍以上，由人们的态度论，大概除了山水画和兰竹之属，其他部门的画都是被轻视的，都是“不入雅鉴”的，换言之，也就是都是不合士大夫的美感的。在余绍宋所举的四个原因中，第一个原因不很重要，因为那其实只是说明了一种事实而已，所以可以不管。第二个原因，乃是说一种历史的趋势，山水画是慢慢地独尊起来，而其中消长的关键，即因为画和士大夫的关系之愈趋密切。第三个原因，我们看出是消极方面的，人物画多出之于没有士大夫教养的人如仇十洲，否则就出之于虽有士大夫的教养的人，但以士大夫的意识的作怪而并不看重，如唐六如；总之，是和士大夫的精神相反的。第四个原因，则见出是一种用具的问题了，士大夫作画的用具，就是士大夫书法的用具，所以画山水、兰竹等是方便的，他们用以表现“雅”，表现“逸”，是已经够了。人物画等，则不只是书法的用具——笔墨——运用纯熟就能了事的，既不必需，又难，当然躲开了。不过除此之外，我想最重要的原因，也就是更内在一些的，乃在根本上，人物等对象和士大夫的精神没有契合之点，山水则不然，却正是士大夫的人生观的寄托，正是士大夫“雅”“逸”的生活的理想，正是他们所向往的人格之反映。

对象，用具，主观，三者是互相关连的，因此中国画遂以山水画为正统了。

## 2. 中国画家对大自然之观察

不错，山水画是一种寄托，但是要适合于寄托的东西，就得对于真的山水有一些了解。在这一点上，中国的艺术家却是做到了的，他们对于大自然的观察极精极细：

有雨不分天地，不辨东西；有雨无风，树须低压，行人伞笠，渔父蓑衣；雨霁则云收天碧，薄雾霏微，山添翠润，日近斜晖。早景则千山欲晓，雾霭微微，朦胧残月，气色昏迷，晚景则山衔红日，帆卷江湄，路行人半掩柴扉。春景则雾锁烟笼，长烟引素水如蓝染，山色渐青；夏景则古木蔽天，绿水无波，穿云瀑布，近水幽亭；秋景则天如水色，簇簇幽林，雁鸣秋水，芦鸟沙汀；冬景则借地为云，樵者负薪，渔舟倚岸，水浅沙平。

——唐·王维《山水论》

真山水之烟岚，四时不同，春山淡冶而如笑，夏山苍翠而如滴，秋山明净而如妆，冬山惨澹而如睡。

——宋·郭熙《林泉高致集》

这是注意到时候的不同的。又如说到云：

魏云如鼠，越云如龙，荆云如犬，秦云如美人，宋云如车，鲁云如马，画云者虽不必似之，但当师其意。

——清·恽寿平《瓯香馆画编》

这是注意到地方的相异的。而烟、云、雾三者的不同，也同样有辨别；三者之中对烟的说明尤细：

画雾与烟不同，画烟与云不同。霏微迷漫，烟之态也，疏密掩映，烟之趣也，空洞沉冥，烟之色也，或沉或浮，若聚若散，烟之意也，覆水如纱，横山如练，烟之状也，得其理者，庶几解之。

——清·恽寿平《瓯香馆画编》

对于自然观察的精细为何如！一般多是山水并论，但也有分论的，现在姑再以郭熙的话为代表：

山，大物也，其形欲耸拔，欲偃蹇，欲轩豁，欲箕踞，欲盘薄，欲浑厚，欲雄豪，欲精神，欲严重，欲顾盼，欲朝揖，欲上有盖，欲下有乘，欲前有据，欲后有倚，欲下瞰而若临观，欲下游而若指麾，此山之大体也。

水，活物也，其形欲深静，欲柔滑，欲汪洋，欲回环，欲肥腻，欲喷薄，欲激射，欲多泉，欲远流，欲瀑布插天，欲溅扑入地，欲渔钓怡怡，欲草木欣欣，欲挟烟云而秀媚，欲照溪谷而生辉，此水之活体也。

对于自然景物的观察如是，决不是偶然的事，这背后有士大夫的教养和兴味在。我们同时可以看出，名为山水，其实画的并不是山水了，乃是对于人间许多德性的考察，又经过了选择，只不过借山水为幌子而已。

## 3. 中国画中花卉之意义：经过组织的人生经验

中国不重人物画，但是对于人的兴趣并不是没有，那么，这些兴味到了什么地方去了呢？很奇怪的，中国乃是把人物统属在植物之中了，所以中国画竹，不是竹，乃是画的“才子”，画兰，也不是兰，乃是画的“佳人”：

> 写兰之法，多与写竹同……然竹之态度，自有风流潇洒，如高人才子，体质不凡，而一种清高雅致，尚可攀抑，唯兰蕙之性，天然高洁，如大家主妇，名门烈女，令人有不可犯之状，若使俗笔为此，便落妾媵下辈，不足观也。学者思欲以庄严体格为之，庶几不失其性情矣。
>
> ——清·汪之元《天下有山堂画艺》

说兰的话还有：

叶虽数笔，其风韵飘然，如霞裾月珮，翩翩自由，无一点尘俗气。

——清·王概《芥子园画传》二集

兰之点心，如美人之有目也，湘浦秋波，能使全体生动，则传神以点心为阿堵。

——清·王概《芥子园画传》二集

画梅也不是，也是一种人格：

梅乃清高拔俗之品。

——清·王寅《冶梅梅谱》

一般的花，也都作为女性的象征：

花枝欲动，其势在叶，娇红掩映，重绿交加，如婢拥夫人，夫人所之，婢必先起。夫纸上之花，何能使之摇动，唯以叶助其带露迎风之势，则花如飞燕，自飘飘欲飞矣。

——清·王概《芥子园画传》二集

虞美人乃卉草之极丽者，其花有光，有态，有韵，因风拂舞，乍低乍扬，若语若笑，予见作者能工矣，辄不能似，似矣辄不能佳，盖色光态韵，在形似之外，故得之者鲜也。

——明·恽寿平《南田题画诗跋》

画秋海棠，不难于绰约妖冶可怜之态，而难于矫拔有挺立意，唯能挺立而绰约妖冶以为容，斯可以况美人之贞而极丽者。

——明·恽寿平《南田题画诗跋》

这种象征的女性，又不仅仅是容貌，乃是精神，乃是德性了。现在我们可以说这句话了，像中国诗、文表现时所用的方式一样，中国画的表现方式乃是间接的。严格地说，中国画没有写生。虽然当前画的是事物，其实不是事物，乃是人生经验，又不是原料式的人生经验，乃是人生经验而经过组织，经过提炼，经过理想化者。这是多么特殊的一种艺术！

## 4. 对象问题之归宿：壮美

因为中国画在主观上要求男性，要求老年，而花卉是与女性为邻的，正如《芥子园画谱》中所谓“草花宜柔媚”，“设色须轻盈，娇容自若生”，因此花卉在中国不能居一个很重要的地位。花卉之为人重视，是清中叶以后的事（见余绍宋《画法要录二编》例言），本来说不上正统。

花草之中，而略有男性象征的意义的，则一般人便格外高看一点了，例如菊。同时，菊有傲骨，又有晚香，便似乎人有晚节一般了，这在无形之中，是满足了中国画在主观上老年的成分的要求的，那么，其被重视，也是可想而知的。

中国画里所采取的植物并不一定要艳，所以兰、梅等是上选，这也是表现士大夫的趣味处。因为一艳，就只是合一般人的感官要求，不合乎“雅”的美感了。

我们不要因为常见，就觉得不足惊奇了，中国画的对象实在是很特殊的，泛泛地画点植物吧，但是必须要寄托着些德性，而这些德性又是在伦理价值上很高的。在植物之中，而中国人特别选择于竹、梅、兰、菊，这是很可自傲的一件事。在其他民族的艺术，其文化打入于艺术之深，恐怕没有像中国这样成功的。艺术之教育的意义，在外国不过是一句空话罢了，也恐怕没有像中国在实践上这么圆满，这么能够充分表现了的。

在这一章的临了，我也还要提醒一件事，就是从中国画的对象上看，也有和从中国画的主观上看得到同样的归结的可能，中国画之对象，既集中在山水、竹石、梅兰等，则无疑也表示了一个趋势，就是趋于单简，同时不言而喻的，也就是适合于表现壮美。

# 四　中国绘画上之用具问题

这是从第三方面来看中国绘画的特色的。本来，无论什么学术、技艺，都离不了用具问题，然而用具在艺术中的作用却独大，而在中国绘画中，则用具的关系乃尤切。

中国绘画的用具就是笔墨。所以中国许多绘画的问题，都集中在笔墨上。恐怕再没有其他任何民族的艺术，其受限制于用具，以及用具所予的方便，而且因为用具之故，造成那种艺术的特色，像中国这样清楚的了。

## 1. 用具与主观及对象之关系

为什么中国的绘画与其用具的关系这样密切呢？这个秘密只需要一句话就点破了：原来中国绘画中所用的墨就是中国书法上所用的同样的墨，中国绘画中所用的笔就是中国书法上所用的同样的笔。在任何其他的民族，书法没有像中国这样成其为纯粹的艺术的，同时，在任何其他的民族，也没有像中国这样有一种普遍的艺术如书法者！

因为书法是一种纯粹的艺术，又在中国是这样普遍之故，所以一转手之间，它的艺术法则就转入了用了同样用具的绘画中了。这个关系非常之大，因为中国的书法也是要求男性，最反对稚弱；也是要求老年[①]，用具的纯熟先非年轻人所能措手，所以这就已经助长了中国绘画上对主观方面的两个要求；同时，不言而喻的，书法还不是士大夫的事吗？在绘画的艺术中，而掺入了书法的艺术的要求，也就无异于正式要求士大夫的成分。所以因为用具之故，中国绘画的主观上，也便非走到同样的限制不可了。至于对象，也几乎完全受了用具的影响，因为：

王耕烟云，有人问如何是士大夫画，曰：只一写字尽之。

——清·王学浩《山南论画》[②]

① 凡一切法度，皆可黾求而得，唯老到之境，必视其功夫之久暂，试取前人极缥缈轻逸之笔，用意临摹，未尝不能似也，然其寓刚健于婀娜之中，行遒劲于婉媚之间，所谓百炼钢，化作绕指柔，积功累力而至者，安能一旦而得之耶？然则似嫩者，乃不识画者之说，苟少识之，并未见其似嫩也。——清·沈宗骞《芥舟学画编》

② 同样的一个例：赵文敏问画道于钱舜举，何以有士气？钱曰：隶体耳。——明·董其昌《容生集》

既然画就是写，那么对象当然不必写实，当然不必人物宫阁，因此也便造成一种趋简的现象，而枯木竹石便成了最合适的体裁了。

## 2. 书画同源

在中国传统的画论中，把书法和绘画这样相关切的事实，用一句成语说出来的，就是所谓“书画同源”。

这其中包括两个意义，一是历史的意义，认为书与画根本是一件东西，认为在最早的史实即如此，关于这点，试一想到中国文字之象形的特征，当然没有疑义，然而中国这种说法，却并不仅以说明史实为止，因为中国是一个崇尚传统的国家，说是从古如此，就等于说应当如此了，其中实已有一种批评的尺度的意味在。二是方法的意义，不必管起源如何，当前的绘画，就是与书法有许多相通的：这种意义是比较实用的。第一义，我们可以清代邹一桂《小山画谱》中所说为代表：

画有八法四知，八法之说，前人不同……二曰笔法……树石必须蟹爪，短梗则用狼毫，钩叶钩花，皆须顿挫，分筋勒干，迭用刚柔，花心健若虎须，点苔布若蚁阵，用笔则悬针垂露、铁镰浮鹅、蚕头鼠尾诸法，隐隐有合。盖绘事起于象形，又书画一源之理也。

第二义，可分三种，一是从观察一般画家和书法的关系而作的泛论：

昔张芝学崔瑗杜度草书之法，因而变之，以成今草书之体势，一笔而成，气脉通连，隔行不断，唯王子敬明其深旨，故行首之字，往往继其前行，世上谓之一笔书，其后陆探微亦作一笔画，连绵不断，故知书画用笔同法。陆探微精利润媚，新奇妙绝，名高宋代，时无等伦，张僧繇点曳斫拂，依卫夫人《笔阵图》，一点一画，别是一巧，钩戟利剑，森森然，又知书画用笔同矣。国朝吴道玄，古今独步，前不见顾陆，后无来者，授笔法于张旭，又知书画用笔同矣。

——唐·张彦远《历代名画记》

二是从研究书法的道理而应用于绘画的推论：

说者谓王右军喜鹅，意在取其转项，如人之执笔转腕以作字，此正与论画用笔同。

——宋·郭熙《林泉高致集》

画无笔迹，非谓其墨淡模糊而无分晓也，正如善书者藏笔锋，如锥画沙，印印泥耳。书之藏锋，在乎执笔沉着痛快，人能知善书执笔之法。则能知名画无笔迹之说。故古人如王大令，今人如米元章，善书必能善画，善画必能善书，实一事耳。

——宋·赵希鹄《洞天清录》

写竹之法，先习用笔，如书法之用中锋，中锋既熟，复以全体之力行笔。

——清·汪之元《天下有山堂画艺》

画家谓提得笔起，乃是千古不传语，墨竹亦然，提笔不起，安能作竹，画家谓无垂不缩，无往不收，墨竹使笔，亦当如是。

——清·汪之元《天下有山堂画艺》

作书发笔，有欲直先横，欲横先直之法，作画开合之道亦然。

——清·沈宗骞《芥舟学画编》

三是在实际上注意一种特殊的画的领域和特殊的书法的专论：

写竹干用篆法，写叶用八分法，或用鲁公撇笔法。

——元·柯九思《画竹自跋》

写叶须作草书，沉著痛快，遒健圆劲。

——清·王寅《冶梅梅谱》

画之屋木，犹书之有篆籀，盖一定之体，必在端谨详备，然后为最。

——宋·刘道醇《圣朝名画评》

思翁善写寒林，最得灵秀劲逸之致，自言得之篆籀飞白，妙合神理，非时史所知。

——清·恽寿平《瓯香馆画跋》

举此三种，就可知凡是书法中所讲的标准，什么藏锋、中锋……书法中所有的体裁，什么篆隶、八分……都借用在绘画里了。

### 3. 笔墨问题之重要性

明了这种“书画同源”的论调以后，则不难明白笔墨的问题，其重要有时在中国画家的心目中竟驾乎对象以上了。本来，艺术的问题，说得实际些，就是技巧的问题，因为内容可以是人人能遇到的，但倘若说得更实际些，技巧问题却就是驾驭用具的问题。中国绘画的用具——笔墨，可以说是一种非常简单的用具，但是正因为它简单，而要表现不简单的思想事物，于是也就成了非常困难的一种用具。艺术家往往是以难见巧的，因此笔墨问题遂成了中国绘画家所殚精竭虑以从事的问题了。

我们从两方面，看出笔墨问题在中国画中的重要来。第一，山水画吧，在外行人看起来，要问这是哪儿的山水，像不像真山，真水，而中国画家看起来，就似乎这些都不成问题，首先注意的乃是笔墨：

笔以立其形质，墨以分其阴阳，山水悉从笔墨而成。

——宋·韩拙《山水纯全集》

小小的石头亦然：

作石全在行笔有神，用墨有度，有功夫者打一圈子便得石之神理，功夫尚浅，法度未熟，用意摹写，神理愈失，可知画理之得失，只在笔墨之间矣。

——清·沈宗骞《芥舟学画编》

人物亦然：

画人物之道，先求之笔墨之道，而渲染点缀之事后焉。

作画气体浑璞为贵，明秀次之，更能不失卷轴风流，乃成士大夫家笔墨，夫浑璞明秀，在山水则在笔墨之外，于人物则在笔墨之中，盖山水是笼罩出来者，人物是发挥出来者，故人物之难，当倍于山水也。

——清·沈宗骞《芥舟学画编》

学画人物，最忌早欲调脂抹粉，盖画以骨干为主，骨干只须以笔墨写出，笔墨有神，则未设色之前，天然有一种应得之色，隐显于衣裳环佩之间，自然深浅得宜，神采焕发。

——清·沈宗骞《芥舟学画编》

花卉亦然：

徐熙画牡丹，止于笔墨，随意点定，略施丹粉，而神趣自足，亦犹写山水，取意到。

——清·恽寿平《南田画跋》

甚而画中的点缀，像苔这一类的东西，有的人反对有，有的人赞成有，他们的立场也都是站在笔墨的作用上：

古多有不用苔者，恐覆山脉之巧，障皴法之妙。

——明·沈灏《画麈》

这是持反对说的。再如：

至若笔有脱节，苔可以接也，皴有遗漏，苔可以补也，合者欲其分，苔即可以分也，连者欲其断，苔即可以断也。

——清·华琳《南宗抉秘》

这是持赞成说的。又有一种说法，似乎折中：

古人画多有不点苔者，苔原设以盖皴法之慢乱，既无慢乱，又何须挖肉补疮。

——清·王概《芥子园画传》

这三种说法都够奇异的了，他们不问山石上到底应不应当有苔，却只是斤斤于苔对于笔墨有什么作用，从这里我们可以清清楚楚看得出，在中国画中，以内容与技巧比，技巧是重于内容的，换言之，也就是以用具与对象比，用具的重要乃是在对象之上的，这是中国人重视笔墨的第一个证据。

其次，我们知道在中国画论中，有许多问题是指笔墨的，例如繁减指笔墨：

程青溪尝题龚半千画云：画有繁减，乃论笔墨，非论境界也。北宋人千丘万壑，无一笔不减，元人枯枝瘦石，无一笔不繁，通此解者其半千乎？

——清·周亮工《读画录》

三病指笔墨：

画有三病，皆系用笔，所谓三者，一曰板，二曰刻，三曰结，板者腕弱笔痴，全亏取与，物状平扁，不能圆混也，刻在运笔中凝，心手相戾，勾画之际，妄生圭角也，结者欲行不行，当散不散，似物凝碍，不能流畅者也。

——宋·郭若虚《图画见闻志》

士气指笔墨：

画有以丘壑胜者，有以笔墨胜者，胜于丘壑为作家，胜于笔墨为士气。

——清·盛大士《溪山卧游录》

气韵生动指笔墨：

用笔忌滑，忌软，忌硬，忌重而滞，忌率而溷，忌明净而腻，忌丛杂而乱，又不可有意着好笔，有意去累笔，从容不迫，由淡入浓，磊落者存之，甜俗者删之，纤弱者足之，板重者破之，又须于下笔时，在着意不着意间，则觚棱转折，自不为笔使，用墨用笔，相为表里，五墨之法，非有二义，要之气韵生动，端在是矣。

——清·王原祁《雨窗漫笔》

六法中原以气韵为先，然有气则有韵，无气则板呆矣，气韵由笔墨而生。

——清·唐岱《绘事发微》

南北派的问题指笔墨：

宋人马夏辈，皆画中魔道，然丘壑结构，亦自精警，不妨采用之。

——清·钱杜《松壶画忆》

稀叶树用笔须圆，若扁片子，是北派矣，北派纵老纵雄，不入鉴赏。

——明·龚贤《画法册》

所谓丘壑结构也还可取的原故，正因为这不是笔墨的问题。但是中国是把笔墨看在这些问题之上的，他们在笔墨上作不好，所以便说画中魔道，所以便说不入鉴赏了。

最后，中国画以宋元人为登峰造极者亦指笔墨：

> 画法莫备于宋，至元人搜抉其义蕴，洗发其精神，实处转松，奇中有淡，而真趣乃出。
>
> 要仿元笔，须透宋法，宋人之法一分不透，则元笔之趣一分不出，毫厘千里之辨在此，此子久三昧也。
>
> 古人用笔，意在笔先，然妙处唯在藏锋不露，元之四家，化浑厚为潇洒，变刚劲为和柔，正藏锋之意也。
>
> ——清·王原祁《麓台题画稿》《雨窗漫笔》

这种种问题都以笔墨为中心，这是可以看出中国人重视笔墨的第二证据。

## 4. 笔的问题

现在我们谈到笔墨本身上的问题了。这里的问题可以分四方面，一是笔的问题，二是墨的问题，三是笔墨彼此间的问题，四是笔墨合起来当作一物的问题。

先看笔的问题。在中国画，以对象与笔墨比，笔墨是比对象重要了，而笔墨彼此比，则似乎笔比墨更重要。起初论画的人，多半只论用笔：

> 夫象物必在于形似，形似须全其骨气，骨气形似，皆本乎立意，而归乎用笔，故工画者多善书。
>
> ——唐·张彦远《历代名画记》

不过我们于此当心的就是中国文字往往举一部分以代替全体，因此说用笔的时候，也有时候是兼赅用墨的，但我们在这里所说的，却确只以纯粹论到用笔者为限。

用笔的问题，我们姑且就其重要者分而为三，一是一般的用笔问题，这包括最通常的原则，所谓“意在笔先”：

> 意在笔先，神思专一，不杂不乱，然后落笔，须要圆劲快利，仍不可太速，速则失势，不可太缓，缓则痴浊，不可太肥，肥则俗恶，又不可太瘦，瘦则枯弱，起落有准的，来去有逆顺，不可不察也。如描叶则劲利中求柔和，

描竿则婉媚中求刚正。……

——元·李衎《竹谱》

这里所谓意在笔先是很有道理的，我们撇开高深的理论不谈，单就实用论，这就因为笔是一个不很好运用的工具，所以非必须先有一种能够驾驭的魄力不可，非必须先有一种统笼全局的打算不可。太速、太缓、太肥、太瘦、都不好的缘故，是因为艺术中需要调和，下面又说“劲利中求柔和，婉媚中求刚正”，这便正是给调和以例证。这些都是用笔的一般问题。

二是中锋的问题，大概最普通的说法是主张用笔当用中锋：

笔须用中锋，中锋之说，非谓把笔端正也，锋者笔尖之锋芒，能用笔锋，则落笔圆浑不板，否则纯用笔根，或刻或偏，专以扁笔取力便至妄生圭角。

——清·唐岱《绘事发微》

不过还有一说是主张用侧锋的：

北苑用笔稍纵，而云林纯用侧笔，此以知作画尚偏笔也。偏非横卧欹斜之谓，乃是著意于笔尖，用力在毫末，使笔尖利若铓刃，竖则锋常在左边，横则锋常在上面，此之谓以笔用墨。

——清·华翼轮《画说》

然而终于像艺术上的其他问题的争端一样还是归于调和：

正锋侧锋，各有家数，倪高士、黄大痴，俱用侧锋，及山樵、仲圭，俱用正锋。

——清·王学浩《山南论画》

中锋侧锋，各自有妙，而中锋较能浮出纸上也。

——清·汤贻汾《画筌析览》

学到极纯之境界，自悟偏中寓正之意。

——清·华琳《南宗抉秘》

我想恐怕还是调和说为是的。艺术中总有一个要求，就是不要棱角，中锋浑厚，自然合乎这个条件，这是一般人主张中锋的理由，然而殊不想侧锋也可以做到不太有棱角的地步的，是只在运用得巧；因此侧锋也就不是绝对的要不得了。话虽如此，这却仍是中国画在用笔上的一个大问题。

三是皴法的问题。皴法本是画山水、木石等才用得着的，然而因为山水画是中国画的正宗，于是皴法也就十分重要起来，这是用笔问题中比较更带专门性质的了，名目极多，讲究极大，关系各派作风亦极切：

> 初画高手亦自可观，画至数十年后，其妙处何在，其显而易见者皴法也。皴法名目甚多，唯披麻豆瓣小斧劈为正经。……大斧劈是北派，戴文进、吴小仙、蒋三松多用之。
>
> ——明·龚贤《画诀》

> 从古画家，各立门户，皆由皴法不同。
>
> ——王翚、恽寿平评笪重光《画筌》

笔的问题，重要的大概就是上面所说这三项了。

## 5. 墨的问题

再看墨的问题。墨的问题，多半即是墨与设色的关涉问题。这里是有三种意见，一是把色与墨看作平等，那么，问题就在色与墨的调和：

须色不碍墨，又须墨中有色，色中有墨，方得真诠，可称名作。

——清·王寅《冶梅梅谱》

设色必于墨本求工，墨本不佳，从而设之，是涂附也。墨本不佳，从而设之，是工匠之流也。故设色必待墨本既成，烟云蓊郁，斯愈设愈妙，出即若旧画，乃为有士大夫气，若有一团新色浮于纸墨，非俗即熟。

——清·华翼纶《画说》

二是把墨看作比色要紧，下面一说可为代表：

画以墨为主，以色为辅，色之不可夺墨，犹宾之不可溷主也，故善画者青绿斑烂，而愈见墨采之腾发。

——清·盛大士《溪山卧游录》

理由呢，则是认色为不净：

凡图中有梅花者皆不宜著色，梅品既高，以水墨写形，尚恐不净，更有何色可得参入乎？

——清·谢兰生《常惺惺斋书画题跋》

这里虽然专指着画梅，但我们也可以应用到别处去，梅品之高，不过是画家的人品之高而已；色不净，所以重墨，形也不净，所以要走入反写实。我在论主观的时候也曾提到这一点，这恐怕是受了佛家（其实还有道家，老子所谓五色令人目盲）的影响而然的。不过在中国，这种画论的成熟，也是慢慢而来的，因为尚墨是近代的事！

画家最重设色，故号丹青，其源甚古（丹青二字始见于《晋书·顾恺之传》），若墨晕，直至唐代而始兴。

——余绍宋《画法要录·二编》例言

大概先有墨竹、墨梅等：

墨竹起于近代，不知其所师承，初吴道子作画，连笔作卷，不加丹青，予意墨竹之师承起于此。

——宋·黄庭坚《山谷集》

墨竹亦起于唐，而源流未审，……迨至宋朝，作者寝盛，文湖州最后出，不异杲日升空，爝火俱息。

——元·李衎《竹谱》

唐人鲜有画梅者，至五代滕胜华始写《梅花白鹅图》，而宋赵士雷继之。

——明·宋濂《銮坡集》

以后浸入了花卉：

世多以墨画山水竹石人物者，未有以画花者也，汴人尹白能。

——宋·苏轼《东坡集·墨花诗序》

唐宋多院体，或千叶或单瓣，皆工细设色，而少墨质，元明之间，遂多用墨本，风致绝俗。……曾见元明名家真迹，不论何色，俱用墨笔须蒂，颇有落落大家气韵，……古之名家，虽设色梅花，亦用墨笔枝干，予鉴赏多幅，设色寥寥。

——清·王寅《冶梅梅谱》

再后就觉得只有这样才是正办了，花卉不用说：

写花自不可少墨，有写色花，间以墨叶者，有不用颜色，全以墨描墨点者。

——清·王概《芥子园画传》二集

甚而肖像画也都以墨为主：

写真有两派，一重墨骨，墨骨既成，然后敷彩……此闽中曾波臣之学也。一略用淡墨，钩出五官，部位之大意，全用粉彩渲染，此江南画家之传法，而曾氏善矣。

——清·张庚《国朝画征录》

写真之法，闽中曾鲸民墨骨为正。

——清·张庚《国朝画征续录》

曾鲸民就是曾波臣，所以可见肖像画也以墨骨为正了。这里的意义是什么呢，就是表明即使最写实的画，士大夫意味最少的画，也被了同一的倾向了。

不过也还有第三种意见，就是把色与墨合而为一：

设色即用笔墨用意，所以补笔墨之不足，显笔墨之妙处。

——清·王原祁《雨窗漫笔》

画中设色之法，与用墨无异，全论火候，不在取色。

——清·王原祁《麓台题画稿》

温仪曾述王麓台说，用墨如设色，则姿态生，设色如用墨，则古韵出，画家习不扫自除矣。

——清·张庚《国朝画征录》

色即是墨，墨即是色。

——清·沈宗骞《芥舟学画编》

我们看，从“色不碍墨，墨不碍色”，到“以墨为主，以色为辅”，到“色即是墨，墨即是色”，有多大的转变，然而我要再重复一句了，像艺术中之其他课题的解决在乎矛盾的调和一样，所以后一说是对的。艺术上的课题有和其他学术的课题不同的一点，就是可以调和，而这调和不是折中，乃是一种矛盾的克服，用现成的名词说，这就是艺术的辩证法性。在任何地方，适用辩证法，没有及得上在艺术中这么一定而不可疑的，犹如天才现象，在任何其他智能的工作中，也没有像在艺术中表现得那么具体，那么可靠的！

色与墨的问题，有以平等观之者，有以墨重于色观之者，有以二者为一物观之者，但我们要牢记，却没有把色重于墨观之者。就整个的中国画论的体系看起来，是应该如此的，因为要反写实，要雅，要简，要表现男性，要表现老年，要表现壮美，所以这趋势是当然的。在中国画的初期，也还重颜色者，只是证明中国画还没成熟，其独立面目的意识，还没觉醒而已。

上面是说墨与色的关涉的问题凡三端，现在附带的要说一说专讲墨的问题：

> 用墨最难，李成惜墨如金是也。大要去甜邪俗赖四字。
>
> ——元·黄公望《写山水诀》

这是把墨看得十分郑重的态度之代表。去甜邪俗赖，倒是不只对墨。不过亦由此可见中国画中之一贯的精神罢了。至于：

用墨之法，古人未尝不载，画法所谓点染皴擦四则而已，此外有渲染积墨之法，墨色之中，分为六彩，何为六彩，黑白干湿浓淡是也。

——清·唐岱《绘事发微》

这是就实用方面讲墨的技巧的项目的。还有从理论上讲用墨之壮美的要求的：

运墨而五色具，谓之得意，意在五色，则物象乖矣。夫画特忌形貌采章，历历具足，甚谨甚细，而外露巧密，所以不患不了，而患于了，即知其了，亦何必了，此非不了也，若不识其了，是真不了也。

——唐·张彦远《历代名画记》

“了”就是单纯，正是壮美的条件。唯表面的“了”，就是走入琐屑了，反而破坏了壮美，那样就不是单纯了，所以“是真不了”了。

我们还有一个附带的问题，就是水的问题。因为中国画既然轻视颜色，那么，便必须有一种能够代替颜色的东西，中国画是以墨代色的，但是只是墨，却终于不免太单调了，这救单调之穷的东西却就是水，因此中国画又有水墨画之称，其意义是颇相当于西洋的水彩画的，则水之重要可知了。下面虽是讲水与色的，但是也不妨当作水在墨色中之作用观（因为墨可以代色）：

学画而不知用水之法，乌可与言画哉？曩在中洲，见毗陵恽南林为黎少阳少府，系南田之孙，家学渊源，尝与论画，述乃祖设色鲜明，丰姿绝世之故，非有他谬巧，不过善于用水耳。余闻之，不觉拍案叫绝曰：此一语，大泄此中三昧矣。

——清·迮朗《绘事琐言》

以上墨的问题完结。

## 6. 笔墨彼此间的问题

次看笔墨彼此间的问题，这也是很重要的。因为中国画的重要用具就是这二者，那么在画家如何操纵这二者使其作用一致上，就是问题所在了：

笔为墨帅，墨为笔充。

——清·沈宗骞《芥舟学画编》

笔不到处，安得有墨？……诸公用墨妙谛，皆出自笔痕间。

——清·沈宗骞《芥舟学画编》

凡画初起时，须论笔，收拾时须论墨，古人所谓大胆落笔，细心收拾也。

——清·王学浩《南山论画》

笔中用墨者巧，墨中用笔者能。

——清·笪重光《画筌》

在这里可以看出几种意见，一是认为有一种宾主的关系，笔为主，墨为宾，笔要领导，墨要完成；二是认为有一种存在的关系，没有笔，就没有墨；三是认为有一种先后的关系，笔在先，墨在后；四是认为二者各有其诉之于特别的美感的作用，倘能互相渗合运用，就最好了。我想这四说，除了第三说较为浅近，没有什么道理以外，其余三说都是很好的，也似乎没有什么冲突。我们用近代的话讲，笔实在是男性的，它所表现的是形式，墨是女性的，它所表现的是内容，没有形式，就是模糊的，正如没有内容，就是空洞的[①]，这二者缺一不可，而且非调和不可。不过中国画是注重男性的表现，所以注重笔。

## 7. 笔墨视为一物的问题

现在我们要看笔墨合起来当作一物的问题了。我们首先看到的，便是所谓战胜用具的问题。倘若主观和对象换一个名称叫作内容的话，则用具不妨称为材料，所以战胜用具的问题也可以称为战胜材料的问题。我们用某些材料，来表现某些内容，这便是所谓艺术，但是这时我们必须当心的一件事，就是所谓材料的本身也有许多性质，这许多性质却不一定是对表现有利的，因此就必须巧为运用了。中国画的材料，是笔墨，那么，也就必须注意到：

① 采宏保耳特（W. V. Humboldt，现通译为“洪堡”。——编者注）说。当然，他没论到中国画的笔与墨，只采其论及美学上之男性的与女性的意义而已。

笔使巧拙，墨使轻重，使笔不可反为笔使，用墨不可反为墨用。

——五代·荆浩《山水节要》

用笔法要转束，不可信笔，盖信笔则顿挫皆无力矣，善于用笔者一转一束，皆有意趣。

——清·王昱《东庄论画》

“不可反为笔使”“不可反为墨用”“不可信笔”，这都是说人在消极方面要避免受制于用具的。至于在积极方面，战胜的方法，则是：

用笔时须笔笔实，却笔笔虚，虚则意灵，灵则无滞，迹不滞则神气浑然，神气浑然则天工在是矣。夫笔尽而意无穷，虚之谓也。

——清·恽寿平《瓯香馆画跋》

所谓虚，就是指运用得巧的代名。换言之，就是物质的材料，这时已经没有物质的障碍了，乃是可以纯纯粹粹表现意匠了，这实在也就是战胜材料的成功。到这地步，也就是所谓心手相应了：

学力到心手相应火候，自无板刻结三病矣。

——清·唐岱《绘事发微》

不过这不是一蹴而就的，还仿佛需要几种步骤，这是：

学者从有笔墨处求法度，从无笔墨处参神理，更从无笔无墨处参法度，从有笔有墨处参神理。

——明·王绂《书画传习录》

在“有笔有墨处参神理”，就是上面所谓“虚”。以这一点而论，成功的也是元人，所以说：

学画至云林，用不着一点工力，有意无意间，与古人气韵相合撰而已。至设色更深一层，不在取色而在取气，点染精神皆借用也。

——清·王原祁《麓台题画稿》

这是到了最能够脱却物质限制的时候了。也就是在这种场合，中国画乃可以走入一种似乎音乐性的艺术。

通常我们所谓“气韵生动”也是笔墨的问题：

六法中原以气韵为先，然有气则有韵，无气则板呆矣，气韵由笔墨而生。

——清·唐岱《绘事发微》

“气韵由笔墨而生”，这是一语破的话，气韵者再换言之，就是驾驭用具的一种功夫层。

气韵有发于墨者，有发于笔者，有发于意者，有发于无意者，发于无意者为上，发于意者次之，发于笔者又次之，发于墨者下矣。

——清·张庚《浦山论画》

这讲得玄妙一点，其实意思还是说将用具巧为运用而已，这仍不过是上文所说的“虚”。说得明显的则有：

气韵有笔墨间两种，墨中气韵，人多会得，笔端气韵，世每鲜知，所以六要中又有气韵兼力也。人见墨汁淹渍，辄呼气韵，何异刘实在石家如厕，便谓走入内室。

——清·方薰《山静居画论》

气韵有时也叫韵趣，意思是一样的：

> 有笔有墨谓之画，有韵有趣谓之笔墨，潇洒流利谓之韵，尽变穷奇谓之趣。
>
> ——清·唐岱《绘事发微》

明白笔墨与气韵是一事以后，则知道所谓气韵的成功，就是笔墨的成功了，试看王翚、恽南田在笪重光的《画筌》中认为是“阐发气韵最微妙处”，其实就是论的笔墨的：

> 真境现时，岂关多笔，眼光收处，不在全图，合景色于草昧之中，味之无尽，擅风光于掩映之际，览而愈新，密致之中，自兼旷远，率易之内，转见便娟。

本来，气韵生动是六法中的一法，却也就像六法中的问题一样，有人认为六法是六法，有人认为六法是一法，有的认为是从鉴赏方面看，有的认为是从创作方面看，有的认为六法是彼此平等的，有的认为是不平等的，对于气韵生动也同样有认为是四件事的，有认为是一件事的，还有认为是两件事的（气韵为一件，生动为一件），究竟是鉴赏的标准，还是做法的条件，倘若不是一件，那么这四者，或二者又从属如何，这都有问题。不过现在我在这里是不想把这问题弄入很专门的地步的，大体上我可以说气韵生动是六法中顶重要的一法，鉴赏和创作都离不了，起初或许是一件事，但后来却随了中国美学思潮的发展，把分析艺术中之主要的成分的所得，都按在这四个字之上了。很有趣的，便是我们在这里见到和康德对于艺术作品的四个要求之相当之事：

> 气韵生动，气者心随笔运，取象不惑也，韵者隐迹立形，备遗不俗也，生者生生不穷，深远难尽也，动者动而不滞，活泼迎人也。
>
> ——清·迮朗《绘事雕虫》

> ……而生动处，又非韵之可代矣。生者生生不穷，深远难尽，动者动而不板，活泼迎人。
>
> ——明·唐志契《绘事微言》

此间二人对于生动的解释居然一样，可见这或者是一种很流行过的意见。康德对于艺术的要求是，一要求幻想（Einbildungskraft），幻想当然是生生不穷了，所以相当于“生”；二要求理解（Verstand），这是概念的，正要求清晰，合乎所谓取象不惑，所以可以说相当于“气”；三要求有精神（Geist），这不是要活泼迎人吗？所以便是“动”；四要求有味（Geschmack），正是“韵”了。[①]可是这样的说法，倘若我们用以来说明一时期的美学思潮，或某某人的美学思潮是未尝不可以的，但却并不足以动摇大多数人对于气韵生动的整个概念。大多数人对于气韵生动，大概在意识上是指为一物的，因为行文简便之故，常只说气韵，实则说气韵就等于说气韵生动了。唯无形之中，却也造成一处因果关系，好像气韵是原因，生动是结果似的。但是，气韵（也就是气韵生动）究竟是什么呢？以我看，却就是要求于用具的一种技巧（即战胜材料之说），而客观化，而抽象化，先由创作方法而变为鉴赏信条而已。所以我觉得“气韵由笔墨而生”正是一句非常根本的话。

把气韵和笔墨的密切关系加重起来，甚而把二者看为一物，却并没有小看了气韵的意思，也没有小看了笔墨的意思。我常觉得，一切艺术的课题，不过在求对象，主观，用具的合

① 康德《判断力批判》，节五〇。此四者英译本作Imagination，Understanding，Spirit，Taste，我曾想译作：意境，慧观，生动，趣致。

一，就是那艺术家的某种人格乃是恰恰切切非选择某一种题材不合适，又恰恰切切非运用某一种材料不合适；待到选择合适了，运用合适了，则只看材料就可以直接感到题材的亲切；只看题材就可以直接感到艺术家人格的真际，甚而一看材料，就可以感到那不是材料，而是艺术之活跃的生命了。一切艺术都当如是，而中国绘画艺术即确已在这方面成功。用具可以直接表现主观，这是中国绘画艺术的绝大成功，绝大价值。

因为用具可以直接表现主观之故，所以中国说笔墨是有人格的背境的：

> 笔墨一道，同乎性情，非高旷中有真挚，则性情终不出也。
>
> ——清·王原祁《麓台题画稿》

所以说笔墨是天生的：

> 画山水之法，凡间架位置，设色布景，全资工力，非深造精诣，不能臻妙，唯笔墨秀逸，必从胎骨带来，非关学习。
>
> ——王时敏书画题跋

笔墨者人格的背境，是天生的，这理由即在笔墨是直触着艺术家的精神之核心故；从另一方面观，亦可谓即在中国艺术家之战胜其材料已达到最成功之地步故。这样，所以我说并没有小看了笔墨的意思了。同时气韵之重要，也就不待言了。笔墨是生知，笔墨的表现——气韵，也是生知，是当然的：

> 气韵不可学，此生而知之。
>
> ——明·董其昌《画旨》

> 画有六法，若其气韵，必在生知。
>
> ——明·董其昌《画禅室随笔》

于此也更可以见出气韵与笔墨之为一事来。

在笔墨可以直接表现人格的情形下，对象反而不算是一个太重要的成分。这也便是中国绘画中临摹一事的物质之所由来。在中国画，对象已居于次要了，表现主观的是重在笔墨，笔墨又是天生，所以虽同一题材，只要无碍于笔墨的自我，也就无碍于创造了。这是和任何民族的艺术不同的又一点。我们看：

人之学画，无异学书。

——宋·郭熙《林泉高致集》

这是指着临摹说的。又如：

古人见法处，用意处，及极用意而若不经意处，都于临摹时可一一得之于腕下，至纯熟后自然显出自家本质，如米元章学书，四十以前，自己不能一笔，时人谓之集书，四十以后，放而为之，却自有一段光景。……书画一道，即此可以推矣。

——清·沈宗骞《芥舟学画编》

这是从实用方面说到临摹的好处的。大概中国人从前还没意识到自己所走的是一个形式主义的路（这里所谓形式是采Clive Bell所谓Significant form），所以还没见有许多为模仿辩的，只知道其重要而已。但是可喜的都是于此重见“书画同源”的道理，书法是忽略对象的，例如赵文敏的千字文，少有人注意这千字文的意义的，注意的却是那字的书法，画既与书同，自然对象也就成为次要了。既成为次要，模仿不模仿也就没有关系了。

既重在笔墨，而不重在对象，所以也便助成了趋简的风气，而且因为越简越能充分表现纯粹形式（Pure form）的意义，所以就越简越好了：

> 宋人写树千曲百折，唯北苑为长劲瘦直之法，然亦枝根相纠，至元时大痴仲圭一变为简率，愈简愈佳。
>
> ——清·钱杜《松壶画忆》

从战胜材料问题，到气韵生动，到人格表现，到临摹，到趋简，这是笔墨合为一物而生的问题。和前面三者——笔的问题，墨的问题，笔墨彼此间的问题总起来看，这是所谓笔墨本身问题的四方面。

## 8. 笔墨问题之归结：壮美

笔墨问题到了这里可以算完了，现在我只提出中国画中由笔墨之故而达到的静的境界，以为收场：

> 山川之气本静，笔躁而静气不生，林泉之姿本幽，墨

粗疏而幽姿顿减。

——清·笪重光《画筌》

画至神妙处，必有静气，盖扫尽纵横余习，无斧凿痕于纸墨间，静气凝结。静气今人所不讲也，画至于静，其登峰矣乎？

——王翚、恽寿平语

于此我们见出中国画由用具方面也达到和主观、对象之同一步趋上去。这种美，不是绚烂光华的了，却是高雅淡远的——不是优美的了，却是壮美的！

# 五　中国画论中之一般的艺术问题

我们方才说过的，都是就中国画及中国画论中之特殊的方面加以分析的，现在我们乃转换一个观点，却看看中国绘画艺术中之一般的艺术要求。中国的艺术批评家及鉴赏家，很少有意识地要作什么理论的，不过就他们零零星星所流露的讲，却也未尝没触及艺术上的一般问题。现在我们即尽力所能，要看一看他们所触及的这些艺术上的一般问题都是什么：

## 1. 艺术与大自然

在中国，也有人像康德那样看法，天才是天生的（意即谓大自然的一部分），艺术是从大自然里来的：

或问余曰：吴生何以不用界笔直尺，而能弯弧挺刃，植柱构梁？对曰：守其神，专其一，合造化之功，假吴生之笔，向所谓意在笔先，画尽意在也。

——唐·张彦远《历代名画记》

“合造化之功，假吴生之笔”，那么，艺术家便不过是大自然的传达工具了。这正是“天才是天生的”学说之张本。

## 2. 艺术与实生活的距离

实生活的主要特色是关心于利害，艺术的世界却是超乎利害之外的，因此二者中间乃有一层很大的距离。无论在实践上，在理论上，中国画家也都表现出来了：

米之颠，倪之迂，黄之痴，此画之真性情也，凡人多熟一分世故，即多生一分机智，多一分机智，即少却一分高雅，故颠而迂且痴者，其性情于画为近，利名心急者，其画必不工，虽工必不雅也。

——清·盛大士《溪山卧游录》

### 3. 艺术与道德

艺术一定是道德的，这是没有问题的。中国所谓："笔墨一道，同乎性情，非高旷中有真挚，则性情终不出也"，就是要把道德与艺术之内在的密切关系给指明的。艺术的目的，无不在道德，因为它表现人格，艺术的效应，无不是道德，因为它的价值在教育；艺术的本身是道德，因为它追求美，还有比"美"更能够代表人类的最高企求的么；而艺术家所要达到其艺术成功的地步的过程与手段，也无往不是道德的，因为艺术家要勤勉认真，要温柔敦厚，要珠圆玉润，要从容，要高超，要有意志，要自由而不背乎规矩，要执著于人生而不做人生的奴才……凡此种种，恐怕再没有比在从事艺术时所得的训练更多更好的了。所以艺术与道德的关系，乃是绝对的。中国画在这上面，尤其成功。不过前人不惯分析，所以虽做到而未必意识到，即意识到而未必完全说到。

### 4. 天才问题

不谈艺术则已，谈艺术一定要碰到天才问题。普通所谓天才问题是有三方面，一是人的问题，就是艺术创作的才能是特别赋之于某些人，而别些人却决不能与之竞争；而这些人又不是专靠学力所能成功的，因此只好叫天才。二是天才现象的问题，就是撇开人的问题不讲，而专就这种飞跃的创作活动，当作一种精神现象去研究。很奇怪的是，虽在一人，而他的创作决不能预计，所谓“神来之笔”，乃是自己亦不知其所以然而然的，而且即创作之后，并不能照样重作。因为这种现象不是人力所能控制的，所以我们只好用天才现象去代表。三是天才的修养问题，就是既有这种人，需要如何修养，才能更完成些，或者在某一人如何当天才现象来时而不放过，这都属于天才修养问题。中国画论中，在这三方面，也都多少有所论到，可以与西洋的天才论，做一个比较。

一、关于天才的人的问题：我们在谈笔墨时，已经见到说笔墨必须“从胎骨带来”，说“气韵必在生知”，这都是的的确确的天才论了，现在我们再看康德所谓天才是天生的论调，中国与之相似的是：

> 天能授人以法，不能授人以功……天之授人，因其可授而授之，亦有大知而大授，小知而小授也，所以古今学

画，本之天而全之人也。

——《大涤子画语录》

这较上文所引张彦远的说法尤为清楚。上文所引，是就大自然方面看艺术的，现在却是就艺术家方面看大自然的。“本之天而全之人”，不特说明了天才的性质，而且附带道出了天才的修养。

二、关于天才的现象的问题：

大都画法，以布置意象为第一，亦只是大概耳，及其运笔后，云泉树石，屋舍人物，逐一因其自然而为之，所谓笔到意生，如渔父入桃源，渐逢佳境，初意不至是也。

——明·李日华《竹懒画賸》

如遇宾位应有作意处，一时端详不妥，当空者空之，一笔亦不必落，不妨迟之数日，俟全神相足，顿生机轴时振笔疾追，不蔓不枝，不即不离，不隔绝，不填塞，于恰当其可之中，有十二分意外巧妙，即诗家所谓“句缺须待来日补”之意也。

——清·华琳《南宗抉秘》

前者说明这种现象的存在，后者说明对于这种现象应持有的态度（要不勉强）。

三、关于天才的修养：先说人的方面，天才的条件第一须勤勉：

> 受与识，先受而后识也。……夫爱画者必尊而守之，强而用之，无间于外，无息于内，易曰“天行健，君子以自强不息”，此乃所以尊守之也。
>
> ——《大涤子画语录》

第二须认真：

> 昔顾骏之尝构层楼为画所，每登楼去梯，家人罕见其面。
>
> ——清·恽寿平《瓯香馆画跋》

> 梅道人深得带湿点苔之法，每积盈筐，不轻点之，语人曰：今日意思昏钝，使精明澄澈时为之。前人绘学功夫，真如炼金火候。
>
> ——吴历《墨井画跋》

勤与认真，这都是伟大的艺术天才必具的条件。在外国，例如音乐家舒班尔特[①]（F. Schubert），画家达文西[②]（Davinci），他们作品的数目都是多到可惊的，因为他们勤。近代的画师像凡·高（Van Gogh）那样，为答应一个女侍者的玩笑，而把自己鲜血淋漓的耳朵邮寄了去，其认真的精神为何如！中国艺术家和他们比起来，却也丝毫没有愧色。我认为勤和认真是艺术天才的共同点，所以天才的修养也必须从这里出发。此外，却还有做画家而容易陷入的毛病，因而不能发展其天才的，当然也须避免：

> 寡学之士，则多性狂，而自蔽者有三：有心高而耻于下问，唯凭盗学者自蔽也；有性敏而才高，杂学而狂乱，志不归于一者自蔽也；有少年夙成其志，不劳而颇通，慵而不学者自蔽也。
>
> ——宋·韩拙《山水纯全集》

> 学画者最难恰好，其高瞻远瞩者全未知规矩法度，已早讲性灵，如何如何，任笔所之，无不自喜，到后来竟漫无所

① 现通译为“舒伯特”。——编者注
② 现通译为“达·芬奇”。——编者注

得，因而渐渐废弃，此过之病也。其甘于小就者，但解描摹形似，不问笔墨道理，少成片段，足以应求者便自满愿，前迹之妙，束而不观，绪言之深，置而弗论，以重穷年莫得，皓首无闻，此不及之病也。……果能立志作第一等功夫，循序渐进，勿忘勿助，逐时自有成效。……病在过者，吾惜其资禀之徒高，病在不及者，吾惜其工力之枉费，甚矣恰好之难也。

——清·沈宗骞《芥舟学画编》

这些虽很浅近，但却是最低限度的要求。

次说现象的方面，大概第一要有人格的修养，必须“静”，就是把许多常的杂念除去，等到天才的现象来时才不会放过：

气韵有发于墨者，有发于笔者，有发于意者，有发于无意者。……何谓发于无意者？当其凝神注想，流盼运腕，初不意如是而忽如是是也。谓之为足，则实未足，谓之未足，则又无可增加，独得于笔墨情趣之外，盖天机之勃露也，然唯静者能先知之，稍迟未有不汩于意而没于笔墨者。

——清·张庚《浦山论画》

第二要在有这种机会时急追，还要顺其自然：

> 眼中景现，要用急追，笔底意穷，须从别引，偶而天成，加以人工而或损，此中佳致，移之彼处而多违。
>
> ——清·笪重光《画筌》

第三时地也很要紧：

> 画须从容自得，适意时对明窗净几、高明不俗之友为之，方能写出胸中一点洒落不羁之妙。
>
> ——明·唐志契《绘事微言》

这样看，艺术是很贵族，很不经济的事了，但是事实的确如此，却也是没有法子的。

中国画论中的天才论，完全不算完全，新奇也不算新奇，但是总算粗具规模了，不能不说是令人喜出望外的事。

## 5. 个性论：创造与模仿

艺术是讲创造的东西，原不能模仿，中国画之所以多模仿者，实在因为用具问题太难了，中间必须经过一个长时间的练习，在这长时期的练习中，却往往由临摹而得些助益。其次是因为中国画很重用具，对象成为次要，所以虽有时就对象上看是雷同，是模摹，但就用具——笔墨——讲，却仍不碍其创造。总之，艺术以创造为原则，中国画也并没例外，郑燮说：

十分学七要抛三，各有灵苗各自探。

——板桥《题画》

创造的根据是在个性，正就是这里所说的“各有灵苗各自探”，极端主张个性论的，则是大涤子：

余尝见诸名家动辄仿某家，法某派，书与画，天生自有一人执掌一人之事。

画有南北宗，书有二王法，张融有言，不恨臣无二王法，恨二王无臣法，今问南北宗，我宗耶？宗我耶？一时捧腹曰：我自用我法。

古人未立法之先，不知古人法何法，古人既立法之后，便不容今人出古法，千百年来遂使今人不能一出头地也，师古人之迹，而不师古人之心，宜其不能一出头地也，冤哉！

纵使笔不笔，墨不墨，画不画，自有我在，盖以运夫墨，非墨运也，操夫笔，非笔操也，脱夫胎，非胎脱也。

能使我即古，而古即我，如是者则知有古而不知有我者也，我之为我，自有我在，古之须眉不能生我之面目，古之肺腑不能入我之腹肠，我自发我之肺腑，扬我之须眉，纵有时触着某家，是某家就我也，非我故为某家也。

山川使余代山川而言也，山川脱胎于余也，余脱胎于山川也，搜尽奇峰打草稿也，山川与余神遇而迹化也，所以终归之于大涤也。

大凡一种艺术走到末流，就个性全失，只以模仿为事了，大涤子的话是针对时病而发的，其实大作家无不主张创造，无不尊重个性，只是在艺术不到衰微的时候没有揭出的必要罢了。

## 6. 创作原理

一、意在笔先：这在中国是很普通的一个理论：

凡画山水，意在笔先。

——唐·王维《山水论》

文湖州云：今画竹，乃节节而为之，叶叶而累之，岂复有竹乎？故写竹必先成竹于胸中。

——清·汪之元《天下有山堂画艺》

这种理论很像外国的说法，艺术家创作之先，先有一种概念（Konzeption），Hans Rohl在《德意志文学辞典》中说：Konzeption der Augenblick im Kunstlerischen Schaffen der als ein massives und plötzliches Geschehen auf dem Boden eines Erlebnisses entsteht und notwendige Voraussetzung fir das nunmehr im Bewusstsein sich vollziehende Werden eines Kunstwerksist.

这里的“概念”正是相当于中国的“意”。胸有成竹之说略浅，不过也属于其中罢了。

二、吃力与从容：艺术品必须费全力以为之，这是吃力，但是需要非常从容。这好像冲突，其实不然，从容是应付裕如的意思，其所以如此，正因为费上全力了。这在中国是很主张的。先说吃力：

一日秋雨中，茂京（王原祁字）携画见过，因极论画理，其义皆与诗文相通，大约谓：始贵深入，既贵透出，又须沉着痛快。

——清·王士祯《居易录》

不知写意二字，误多少事，欺人瞒自己，再不求进，皆坐此病，必极工而后能写意，非不工而遂能写意也。

——清·郑板桥题画稿

再看从容：

繁不可重，密不可窒，要伸手放脚，宽闲自在。

——清·王翚《清晖画跋》

画水势欲速，笔欲缓，腕欲运，意欲安，大旨如此。

——清·钱杜《松壶画忆》

像《水浒传》上写劫法场似的，局面诚然紧张了，但以作者不松懈的笔墨写去，反倒觉得从容，和这里写水势之速的道理是一般无二的[①]。从容之极，便是自然：

---

① 与此说相发的，有：未动笔前，须兴高意远，已动笔后，要气静神凝，无论工致与写意皆然。——清·王昱《东庄论画》

如虫蚀木，偶尔成文。

——宋·黄山谷

三、战胜材料：这在论笔墨问题时已及之，可不多赘，只举三说，以为补充：

凡画山水，大幅与小幅不同，小幅卧看不得塞满，大幅竖看不得落空。

——明·唐志契《绘事微言》

境平则笔要有奇趣，境奇则笔当无取险。

——清·沈宗骞《芥舟学画编》

山水中屋宇，甚不易为，格须严整而用笔以疏散为佳，处处意到而笔不到，明之文待诏足以为法。

——清·钱杜《松壶画忆》

一切艺术都有战胜材料的问题，中国特着重于笔墨。因此，专论及笔墨者多，泛论者少。不过那点意思总有。后一说“意到而笔不到”，发挥战胜材料的道理尤为透彻。

四、有法与无法：艺术是再自由也没有的事，但也是再受约束也没有的事，起头的时候，必须服从法度，以后却从法度而出，这时不是背乎法度，也不是没有法度，乃是超越法度，法度与自己合而为一了。

> 洒落取致，但有笔力，多无矩矱，……有心斯事，当从规矩入，再从规矩出，参透此关，无法非实，无法非空。
>
> ——清·蒋和《写竹杂记》

> 初由法中，渐超法外，此化工笔也。
>
> ——清·汪之元《天下有山堂画艺》

> 凡画之初作功夫，处处是法，久则熟，熟则精，精则变，变则一片化机，皆从无法中出，是为超脱极致。
>
> ——清·王寅《冶梅梅谱》

道德家所谓“从心所欲不逾矩”，正是这里艺术家从有法达到无法的境界。

## 7. 完整的艺术品之要求

第一要求纯（Einheit），就是要求在作品中任何方面统一（uberein-stimmung）：

宋元人画花与叶，皆先用墨钩，次用淀花，依中筋双染一过，后用绿水潇满，老嫩既分，亦臻浓厚，背衬石绿，面带青染，或半或全，愈显刻实。近也学徐熙、黄筌，纯用没骨，或两叶相交处，定出一线，或相接处，渍出分界，亦皆有法。学之者宜分宗派，不可于一幅中，溷杂兼用。如学秦汉印，而杂入宋元印，未免为有识者所笑。

——清·迮朗《绘事琐言》

画中唯皴法最难，所宜亟讲，各家书法，未易兼综，然须画北宋，勿使一笔入南宋法，画南宋勿使一笔入元人法，画元人，亦勿使入南宋诸家法，诸家各有门庭，勿相混淆，唯通其理而化其偏。

——王翚、恽寿平评笪重光《画筌》

我们对于诗文也是这样要求，散就统统散，骈就统统骈，有形式就统统有形式，自由就统统自由。王、恽既说勿相混淆，又说通其理而化其偏，好像冲突，其实也不然，他们的意思乃是说在艺术修养过程中，当模仿时，要模仿得纯粹、统一，但不能常模仿，化其偏的时候就是自己有独立面目的时候了，这时候也仍然要求纯，只是这时的纯已不求而自至，所以不必提到口头上来了。

第二要求淡；就是浓，也是由淡见浓：

画从淡处见精神。

——清·迮朗《绘事琐言》

前人用色，有极浓厚者，有极淡逸者，其创制损益，出奇无方，不执定法，大抵秾艳之过，则风神不爽，气数索然矣。唯能淡逸而不入于轻浮，沉厚而不流于郁滞，传染愈新，光辉愈古，乃为极致，石谷于设色法二十年静悟，始窥秘妙，每为余言如此，因记之。

青绿重色，为秾厚易，为浅淡难，为浅淡矣，而愈秾厚为尤难，唯赵吴兴洗脱宋人刻画之迹，运以虚和，出之妍雅，秾纤得中，灵气惝恍，愈浅淡，愈见秾厚，所谓绚烂之极，仍归自然，画法之一变也。

——清・恽寿平《瓯香馆画跋》

此处与温克耳曼所说美乃是像无味之味的水似的正相当：

Nach diesem Begriff soll die Schouheit sein wie das vollkommenste Wasser aus dem Schosse der Quelle geschöpft，Welches，je wouigls Geschwack es bat，daste gesunder geachtet wird．[①]

第三要求活：

画有两字诀，曰活曰脱，活者生动也，脱者笔笔醒透。

——清・恽寿平《瓯香馆画跋》

但是作用这“活”的，却是“意志”，非有能够操纵自如的意志力，决达不到活：

绘事要明取予，取者形象仿佛处，以笔勾取之，其致

① 《古代艺术史》，页一五〇。

用唯在果毅，而妙运则贵玲珑断续，若直笔描画，即板结之病生矣，予者笔断意含，如山之虚廓，树之去枝，凡有无之间是也。

——明·李日华《紫桃轩杂缀》

古人位置紧而笔墨松，今人位置懈而笔墨结。

——清·王原祁《雨窗漫笔》

用笔之法，在乎心使腕运，要刚中带柔，能收能放，不为笔使。

——清·唐岱《绘事发微》

下笔游移便软弱，构局游移便散漫。

——清·华翼纶《画说》

这统统说到意志的重要。正像人生的态度一样，非内“方”是不能外“圆”的，方相当于意志，圆相当于活。我们见做到这个地步的人，他外面温柔敦厚，使人亲近，但是他却非常有主宰，而且也正是他那主宰，使他棱角尽敛，我认为做到这种理想人格的有孔子，艺术与道德正有其沟通处。

第四要求易，就是英文上的easy：

宋人谓能到古人不用心处，又曰写意画，两语最微。

——清·恽寿平《瓯香馆画跋》

这种地步，也就是温克耳曼所说的Unbezeichnung[①]，我曾译为不落迹象性。

第五要求隐约：

画欲暗不欲明，明者如觚棱钩角是也，暗者如云横雾塞是也。

——明·董其昌《画旨》

这也是一切艺术所要求的，所以我们爱李商隐的诗，所以文艺中可以有象征主义的运动。

第六，也就是最后，艺术要求美。这种美不是普通的美，是有美学意义的美。这种美是艺术的理想境。上面所说的几个要求：纯、淡、活、易、隐约，还是分析开来说的，这些不过是美的成分，几个说起来，就有包括了这一切的“美”。这种

① 《古代艺术史》，页一五〇。

美，是由几个阶段而来的：

孙过庭谓学书有三时，余以学画亦然。初学时当求平直，不使偏跛邪僻，以就规矩，不令浓腻涂饰，以求骨干；中间开拓其心思，以尽丘壑之交，遍寻其作法，以备材料之资，然必因前古所有，扩而充之，不当师心倍理也；后则绚烂之极，归于平淡矣。举向者之所博涉而远骛者，一约之于朴实简易之中，似淡也味之而愈长，似浅也求之而愈远，功夫至此，则已颠毛种种矣。

——清·沈宗骞《芥舟学画编》

这三个阶段之中，只有后一个阶段才是美学上所承认的美，这与温克耳曼的思想极相合，王原祁有专形容这个阶段的美的话：

画家自右丞以气韵生动为主，遂开南宗法派，北宋董巨集其大成，元季高赵四家俱宗之，用意则浑朴中有超脱，用笔则刚健中含婀娜，不事粉饰，而神彩出焉，不务矜奇，而精神注焉，此为得本之论也。

——清·王原祁《麓台题画稿》

中国绘画艺术之以南宗为标准者即在此。原则上讲，中国这种标准是对的！

## 8. 艺术上之失败

我常觉得艺术上的失败是在提起一般人的要求而不能满足上，例如律诗吧，它提起人的要求是偶数句押韵的，但倘若有一句不协，我们就必定失望了，这是极小的例子，即小说中的描写亦然，倘若它已经提起人们的要求是一个佳人了，如果有一分不像佳人，就是失败了。这种道理，在中国画论中也有：

> 无层次而有层次者佳，有层次而无层次者拙。
>
> ——清·笪重光《画筌》

头一种是令人喜出望外的，所以是技巧的成功，后一种乃是提起人们对于层次的要求了，而不能满足，所以是失败。

## 9. 艺术上之浅薄

我曾给深刻和浅薄下过定义，我说深刻是在不说出时而人们不知道，说出后而人们从心里都承认的，浅薄却是在不说出时人们即都知道，说出了后则人们觉得多余。艺术中的表现，凡与后者相似的，便是浅薄，在中国画论中，却也给出了一个例证：

近者画手有仁者乐山图，作一叟支颐于峰畔，智者乐水图，作一叟侧耳于岩前，此不扩充之病也。盖仁者乐山，宜如白乐天草堂图，山居之意裕如也，智者乐水，宜如王摩诘辋川图，水中之乐饶给也。仁智所乐，岂只一夫之形。

——宋·郭熙《林泉高致集》

## 10. 创作与批评

这是两种才能，不能相强，但是却正好合作：

画家有未必知画，不知画者每知画理，自古有之。故尝有画者之意，题者发之。如蒙庄之形容画史，非深知画者不能道。

——清·方薰《山静居画论》

可见中国也知道理论家与创作家的分野。

## 11. 艺术之时代划分

这不只是艺术史的问题，也是艺术批评的问题。温克耳曼把希腊雕刻分了四期：第一期是高大的，第二期是温雅悦目的，第三期是模仿的，第四期是堕落的[①]，我觉得很有趣的，就是他与中国唐诗所分的初、盛、中、晚，有些相当（这并不是说绝对的，乃是说趋势上而已，初、盛相当于温克耳曼所说的第一期，中、晚相当于温克耳曼所说的第二期、第三期，以及于第四期）。我为什么说不只是艺术史的问题呢？因为这不只是史实的问题，乃是一般的艺术演进过程中之通则的问题，而且在这过程的划分中都有美学的意义，所以我说也是艺术批评的问题了。在中国画论中，却也有讨论到的，这就是：

> 笔墨当随时代，犹诗文风气所转，上古之画，迹简而意淡，如汉魏六朝之句，然中古之画，如初唐、盛唐，雄浑壮丽，下古之画，如晚唐之句，虽清丽而渐渐薄矣，到

① 《古代艺术史》，页二〇七。

元则如阮籍、王粲矣，倪黄辈如口诵陶潜之句，悲佳人之屡沐，从白水以枯煎，恐无复佳矣。

——《大涤子题画诗跋》

这里划分的段落，和温克耳曼不太一样，但是就趋势论，也还是一般无二的。

在这十一个题目之下，可以代表出中国画论对于艺术上之一般问题的贡献，关于艺术之形上学的问题，关于艺术性质的问题，关于天才的问题，关于创作，关于鉴赏，关于艺术史，也差不多都触及了。只是我们当注意的是，他们却只是有点零星的倾向而已，他们从来没有对于一般的问题有意地作过什么理论，那些零星的倾向乃是多半因为特殊的场合而发出的而已，更说不上体系。于此亦可见中国人不惯于有组织的哲学之思索者为何如了。

# 六 结 论

我觉得中国画是有绝大价值，有永久价值的，然而同时我觉得它没有前途，而且已经过去了。

中国画本身很伟大：它合乎美的一般原则；它的取材很高，例如竹梅兰菊，都有伦理上的价值和意义；它有一种形上学，所以的确够上一种精神活动的最高境界；它为中国各种文化的精华所渗透，又影响中国知识分子的人格之完成，所以的确够上是艺术教育的实践；西洋的美学与艺术实践未能打成一片，但是中国做到了；艺术中的根本课题，在主观、对象、用具的合一，这是理想，一般的艺术未必能做到，但是中国已经在这方面成功了。对于艺术的了解和普遍，没有及上中国的；一个民族的艺术和其种种文化的密切，没有及上中国的！

中国画有中国画的独特面目，艺术同样使人静，而中国画使人静的效应为尤深，而且西洋画的静是偏于诉之于情感的，中国画的静乃是最后诉之于理智的；艺术同样表现人生，西洋画中所表现的人生是直接的，中国画中所表现的是间接的。中国画为理性的，而不是直观的，为音乐性的（故主张气韵生动），而不是造型的；是时间的，令人感到往古的幽趣，不是空间的，不令人感到目前的刺激。中国画为理智的产物，所以是壮美的，中国画要求男性的，所以是壮美的，中国画要求老年的，所以是壮美的。即使有优美的要求，也是要经由壮美以达到优美的，所以它单纯、统一、简净、高超而庄严。

因此，我觉得它有绝大价值，而且也有永久价值！

然而，这种艺术是决无法继续的了：主观上看，我们是不是还能铸造在士大夫的人生理想之中呢？社会变动了，我们的观念动摇了，我们对于画的要求，是不是还要男性的呢？受了西洋文化的熏陶以后的民族，是不是还安于那种老年的情趣呢？对象上看，我们的生活理想是不是还可以山林为寄托呢？对于人物器具的情感，是不是还能像先前那样冷淡呢？用具上看，我们今后的知识分子，有没有功夫去作那笔墨上的三十年的练习呢？即使练习了，其欣赏的普遍是不是能一如往昔呢？中国绘画的特色和价值，在它有一种形上学，但是可惜这种形上学已经崩溃了！新的形上学还没铸造起来，即使铸造起来，也岂能和过去的一样呢？

中国画在宋元到达了极峰，但也就是末途了。

中国画的永久价值是一事，能不能继续是一事，像希腊的雕刻一样，不是只成了历史上的陈迹了吗？所以中国新艺术的开展，只有另行建造，另寻途径了！

二十五年十二月五日①作

三十一年十二月十九日②重改

① 即1936年12月5日。——编者注

② 即1942年12月19日。——编者注

# 附

## 唐代的伟大批评家张彦远与中国绘画[①]

### 一

中国在第九世纪曾产生了一个绝大的批评家，可以比肩于Pater[②]，可以比肩于Ruskin[③]，可以比肩于Winckelmann[④]，这人是张彦远，他那亘古不朽的著作便是《历代名画记》。

为明白他这部名著的价值起见，我们有略看一看在他之前的同类著作的必要。论画的书，是在南北朝才发达起来的，南齐谢赫有《古画品录》，梁武帝有《昭公录》，后魏孙畅之

---

① 该文发表于一九三八年十二月出版的《再生》杂志第九、第十期，署名何逢。——编者

② 现通译为佩特（Walter Horatio Pater，1839—1894），英国散文作家，文艺评论家。——编者注

③ 现通译为罗斯金（John Ruskin，1819—1900），英国政论家、艺术评论家，画家。——编者注

④ 前文译作温克耳曼。——编者注

有《述画记》，陈姚最有《续画品录》，这都是第五世纪、第六世纪的事。到了唐朝，便又出了好些论画的书，以沙门彦悰的《后画录》为始，有李嗣真的《后画品录》，顾况的《画评》，刘整的《续画评》，裴孝源的《公私画录》，窦蒙的《画拾遗录》等，这差不多包括了第七世纪、第八世纪对于绘画、欣赏之总成绩。

不过这些书，正如张彦远的批评，“率皆浅薄漏落，不越数纸”，质与量都是不足道的。张彦远尤其不赞成彦悰，以为“最为谬误，传写又复脱错，殊不足看也”；至于姚最，李嗣真二人，他也以为“品藻有所未安”；只有对谢赫却很推崇，他很虚心地说：“详观谢赫评量，最为允惬。”一个批评家不但要批评创作，还要批评“批评”，张彦远对于其他批评，能做了若指掌的批评如此，所以无怪乎他能担负起了前无古人的大事业了。

经过了时代淘汰的结果。我们现在也知道张彦远以前的画论中，果然只有谢赫和姚最的最有价值了，而二人之中，尤其不可动摇的，乃是谢赫了。

谢赫本人是一个画家，他特别擅长肖像画，但他对艺术的贡献，却毋宁在这一部《古画品录》上，这是因为它奠定了一直支配了一千五百多年的中国绘画中的传统精神，迄未动摇其基础故。

据 Ferguson 的 *Outline of Chinese Art* [①]上说，谢赫的《古画品录》是出现于公元四七五年。

在书的开头，他说："夫画品者盖众画之优劣也"，这就是明白表示这是一部批评的书的，至于他的重要贡献，可说有五点：

第一，他维持了中国学者对于艺术的传统看法，这就是在肯定艺术之道德性，所以他说："图绘者莫不明劝戒，著升沉，千载寂寥，披图可见。"

第二，他确定了艺术标准之永久性，他的话是："迹有巧拙，艺无古今。"

第三，他发挥了所谓第一流作品这个概念，这是艺术批评上的一个大贡献。凡属第一流作品，便是无可形容，不能加以批评的。例如陆探微是够这个标准的，所以他说："穷理尽性，事绝言象，包前孕后，古今独立，非复激扬所能称赏，但价重极乎！上上品之外，无可寄言，故屈标第一等。"

第四，他记录下了中国画师所遵守的所谓六法，这就是："一气韵生动是也，二骨法用笔是也，三应物象形是也，四随类赋彩是也，五经营位置是也，六传移模写是也。"在他

① 英文书名，《中国艺术概论》。——编者注

认为，倘若是一个好画师的话，是应当六法兼善的：够上这个资格的，却只有陆探微、卫协而已。其余画师，便都不过“各善一节”。

第五，他主张艺术要有生气。如何才能有生气呢？就是须要创造，须要抓住对象的真精神，所以他评刘绍祖，便是：“善于传写，不闲其思，至于雀鼠，笔迹历落，往往出群，时人为之语，号曰移画；然述而不作，非画所先”；又评刘须，便是：“纤细过度，翻更失真。”生气就是一种泼辣，粗壮，骠悍，超脱，沉郁顿挫，酣畅淋漓，又富有生命力的美，纤细是和这相反的，所以乃为他所反对：他评顾骏之是“神韵气力，不逮前贤，精微谨细，有过往哲”；他评丁光，是“非不谨细，乏于生气”。——这也为后来中国文人画之反写实的精神早放了一个有力的信号。

此外，例如他评顾骏之，以为“迹不逮意”，这就是表现不足的说法了，又如讲笔力，讲笔迹，这都是能纯粹从艺术的见地来批评了，可见那审美的教养和艺术的训练，也都已到了可惊的地步。不过总其要点，却似乎只有：在技巧上，他所注重的是生气，在内容上，他维持的是道德；至于涉及比较更专门意味了的例如用笔的范围，他却没有意识地认为如何重要过，关于这，是有待于在他四世纪以后的张彦远的。

姚最的《续画品录》，是继续谢赫而作。和谢赫不同的，就是他没把画家分作了几等，却只有单个的批评；所以认真地说起来，这部书实在失却了“品”字的意义了，——至少和谢赫所用的是有了出入了。很有趣的却是，谢赫到了姚最的书里，也已经成了被批评的对象，而且所做的标准，正恰恰是谢赫所曾定下以批评别人的：“至于气运精灵，未穷生动之致，笔路纤弱，不副雅壮之怀”，真所谓以其人之道还治其身了。

在《续画品录》里，提出了技巧上要求从容的原则，这就是在批评毛惠秀时所说：“其于绘事，颇为详细，太自矜持，番成羸钝”，这不能不说是对于批评的一点贡献。

姚最是要完成谢赫的工作的，所以他没有更创造些什么。他的批评，固然仔细了些，但以规模和气象论，却似乎远不如谢赫之宏大、热烈和锐利。

张彦远以前的艺术批评家，谢赫、姚最要算最突出的了，其他诸人，可不细论。荒芜而琐碎的艺园上，正期待着另一个更伟大的，更坚实而熟练的园丁的到来。

## 二

张彦远字爱宾，是山西西南角上永济县（唐时的河东蒲州）人，据他在《历代名画记》中所说在长庆初（公元821）还不到龀岁的话看，龀普通指八岁，那么，他大概生于公元813年左右。在公元874年至879年（唐乾符中），他曾经做过大理寺卿，这是一种掌刑法的官，这时他在六十岁左右了。他作《历代名画记》则在公元847年（大中元年），那时候，他大概还不过三十几岁。

他是世家，父亲是文规，祖父是宏靖，曾祖是延赏，高祖是嘉贞。在《旧唐书》卷一二九，有《张延赏传》，在《新康书》卷一二七，有《张嘉贞传》。张嘉贞是唐明皇时的宰相，就是彦远所谓的河东公；张延赏即是彦远所谓的魏国公，张宏靖即是彦远所谓的高平公，二人都是同平章事；张文规是彦远所谓的先公尚书，做过桂管观察使的。他的世系是一个贵族的世系。就以上所得，可列一略表如下：

嘉贞（河东公）——延赏（魏国公）——宏靖（高平公）——文规——彦远

因为是贵族，而且代代爱好艺术，所以家里收藏极富，张彦远曾说：

彦远家代好尚，高祖河东公，曾祖魏国公相继鸠集名迹。先是魏国公与司徒汧公（李勉），并佐霍国公关内三军幕府（王思礼），霍公平定两京，魏公之策也。魏公与汧公因其同寮，遂成久要，并列藩闽，齐居台衡，雅会襟灵，琴书相得。汧公博古多艺，穷精蓄奇，魏晋名踪，盈于箧笥。许询逸少，经年共赏山泉，谢傅戴逵，终日唯论琴画。大父高平公与爱弟主客员外郎（彦远叔祖，名谂），及汧公爱子缵，缵弟约，更叙通旧，遂契忘言，远同庄惠之交，近得荀陈之会，大门请缵为判官，约与主客皆高谢荣官，琴尊自乐，终日陶然，士流企望莫及也。繇是万卷之书，画归王粲，一厨之画，唯寄桓玄。李兵部又于江南得萧云壁书飞白萧字，匣之以归洛阳，授余叔祖，致之修善里，构一亭，号曰萧斋。元和十三年（公元八一八年），高平公镇太原，不能承奉中贵。为监军使内官魏弘简所忌，无以指其瑕，且骤言于宪宗曰："张氏富有书画"，遂降宸翰，索其所珍，惶骇不敢缄藏。科简登时进献，乃以钟张卫索真迹各一卷，二王真迹各五卷，魏晋宋齐梁陈隋杂迹各一卷，顾陆张郑田杨董展，洎国朝名手画合三十卷，表上曰："伏以前代帝王，多求遗逸，朝观夕览，取鉴于斯。陛下睿圣钦明，凝情好古，听政之暇，将以怡神。前件书画，历代共宝，是称珍绝。其陆探微《萧史图》，妙冠一时，名居上品，所希睿鉴，别赐省览！”又别进《玄宗马射真图》，表曰：“玄宗天纵神武，艺冠前王，凡所游畋，必存绘事。岂止云梦殪兕，楚人美旌盖之雄，浔阳射蛟，汉史称舳舻之盛！前件图，臣瞻奉先灵，素所真惜，陛下旁求珍迹，以备石渠。祖宗之美，敢不献呈！”手诏答曰：“卿庆传台铉，业嗣弓裘，雄词冠于一时，奥学穷乎千古，图书兼蓄，精博两全。别进《玄宗马射真图》，恭获披奉，瞻拜感咽，圣灵如临。其钟张等书，顾陆等画，古今共宝，有国所珍，朕以视朝之余，得以寓目，因知丹青之妙，有合造化之功，欲观象以省躬，岂好奇而玩物。况烦章奏，嘉叹良深！”其书画并收入内库，世不复见。其余者长庆初（公元八二一年）大父为内贵魏弘简门人宰相元稹所挤，出镇幽州，遇朱克融之乱，皆失坠矣。非戎虏所爱，及事定，颇有好事购得之。彦远时未龀岁，恨不见家内所宝，其进奉之外，失坠之余，存者才二三轴而已。

——《历代名画记》卷一，叙画之兴废

可见他是世传的收藏家了。所谓“家代好尚”，实在是很值得自傲的一件事。彦远在没到八岁的时候，其家中的收藏就已经大半散失为恨，但是我敢说，却因为积了至少有五代之久的审美经验之故而把他造成一个专家了，这仍不能不算很幸运。

彦远的家庭里不只是收藏丰富，而且他的先人也多半善书。他的叔祖谂，尤其有名，所谓："初得钟繇笔意，壮岁遂仿献之，暮年人许有羲之风度，盖凡三变而后成"，这就是在当时已经有了的公论。

彦远自己却也能画能书。不过他自己都很不满意，他说："书则不得笔法，不能结字，但以自娱"；就他自己看，仿佛二者之中，尤致憾于不能书，例如他在《法书要录》序上便也有这样的话："彦远家传法书名画，……彦远自幼至长，习熟知见，竟不能学一字"，因而"夙夜自责"。可是就别人的评论看，则似乎他的书法倒很好，在《法书要录》后面附了一篇不知撰人的《画谱本传》上便说："富有典型，而落笔不愧作者，……尝以八分字录前人诗什数章，至其仿古出奇，亦非凡子可到"；反之，他的画却从没见人称道过。

彦远在画和书上是那样谦抑和焦急，一则说："但以自娱"，二则说："夙夜自责"，甚而说："为终身之痛"。但是在批评上他却绝对地自信。他已经在好几种机会上说"然而收藏鉴识，有一日之长"了。在书法的方面，他辑了一部《法书要录》，在画的方面，他著了这部《历代名画记》。他常说："好事者得全二书，则书画之事毕矣。"他像其他一切伟大的批评家一样，在自信里表示着自知和诚坦；也像其他一切伟大的批评家一样，在对于创作方面的歆羡和感到有心无力之中更加强了对于艺术的热情和忠实。

他对于艺术极其爱好，他说：

余自弱年鸠集遗失，鉴玩装理，昼夜精勤，每获一卷，遇一幅，必孜孜葺缀，竟日宝玩，可致者必货敝衣，减粝食，妻子僮仆，切切嗤笑。或曰："终日为无益之事，竟何补哉？"既而叹曰："若复不为无益之事，则安能悦有涯之生？"是以爱好愈笃，近于成癖。每清晨闲景，竹窗松轩，以千乘为轻，以一瓢为倦，身外之累，且无长物，唯书与画，犹未忘情，既颓然以忘言，又怡然以观阅。常恨不得窃观御府之名迹，以资书画之广博。又好事家难以假借，况少真本！书则不得笔法，不能结字，已坠家声，为终身之痛。画又迹不逮意，但以自娱。与夫熬熬汲汲，名利交战于胸中，不亦犹贤乎？昔陶隐居，启梁武帝曰："愚固博涉，患未能精，苦恨无书，愿作主书令史。晚爱楷隶，又羡掌典之人。人生数纪之内，识解不能周流，天壤区区，唯恣五欲，实可愧耻。每以得作才鬼，犹胜顽仙”，此陶隐居之志也。由是书画皆为清妙。况余凡鄙，于二道能无癖好哉？

——《历代名画记》卷二，论鉴识收藏购求阅玩

这完全道出了一个批评家的心情。凡是一个批评家一定是很勤苦的，像Winckelmann之只有四小时的睡眠，为的做艺术的研究一样，张彦远也是“昼夜精勤”，甚而“贷敝衣，减粝食”的，大概否则的话，艺术的女神或者不能给他那样多的酬报了吧。别人以“无益之事”相议，其实这正是Kant[①]所谓的审美能力之第一特色，即所谓无利害之感（Ohne allesInteresse英译本译作disinterested）是，这也正说明了艺术事业之特有的境界。张彦远答复得好，“若复不为无益之事，则安能悦有涯之生”，倘若和Flaubert[②]所说的：“人生虚无，艺术才是一切”的话一对照，就更亲切有味了。张彦远既以艺术为安身立命之所，所以也同情于“天壤区区，唯恣五欲，实可愧耻”了，这正说明了审美领域和欲望领域的相远。这种态度，又是非对于美学的原则有认识的人所不能有的。凡此种种，都看出在张彦远那里，是如何充溢着审美的教养和陶冶！

---

① 现通译为“康德”。——编者注

② 现通译为“福楼拜”。——编者注

因为爱艺术，所以凡是对艺术有所曲解，或对艺术家有所侮辱的时候，他便起而抗辩，为艺术奋斗，为美奋斗！例如王充是曲解艺术了，他便说：

> 岂同博弈用心，自是名教乐事。余尝恨王充之不知言，云："人观图画上所画，古人也；视画古人，如视死人，见其面，而不若观其言，行古贤之道，竹帛之所载灿然矣，岂徒墙壁之画哉！"余以此等之论，与夫大笑其道，诟病其儒，以食与耳，对牛鼓簧，又何异哉！
>
> ——《历代名画记》卷一，叙画之源流

又如阎立本是为人厚诬的了，他便说：

> 浅薄之俗，轻艺疾能，一至于此，良可于悒也。
>
> ——《历代名画记》卷九，叙历代能画人名

这都表现了他对于艺术之爱护的热情。他在说明《历代名画记》的缘起时更说："聊因暇日，编为此记，且撮诸品评，用明乎所业"，就见他实在是以研究艺术为终身事业；他又紧接着："亦探乎史传，以广其所知"，便又见他这种事

业乃是以学识为基础，这正恰恰像Winckelmann之建立了艺术科学一般，他之《历代名画记》也便颇相当于Winckelmann之*Geschichte der Kunst des Altertums*[①]。

张彦远除了作《历代名画记》之外，对于艺术的大贡献，就是他辑的《法书要录》。这是讲书法的，他把从古到那时论书法的论文统都采集了，一共有十卷。这虽然是述而不作的工作，但学者间都原谅了他这种作法而且极为推崇：

> 不下一注脚，不添一评跋，岂其鉴识未精耶？盖谓昔贤垂不朽之业，后人睹妙绝之迹，自有袁昂二庾及宝泉诸人月旦在。——毛晋法书要录跋……彦远所删非由阙佚。……其书采摭繁富，汉以来佚文绪论，多赖以存。……自序谓好事者得此书及《历代名画记》，书画之事毕矣，殆非夸饰也。末为右军书记一卷，凡羲之帖四百六十五；附王羲之帖十七，具为释文，知刘克庄阁帖释文，亦据此为蓝本，则其沾溉于书家者非浅勘矣。
>
> ——《四库全书提要》

---

① 德文书名，作者在他的《西洋哲学史》一书中将书名译为《古代艺术史》。——编者注

这可以看出他这部书的贡献所在。像这种书本来也是不可少的，我们后来有《王氏书画苑》《佩文书画谱》了，但是张彦远的恐怕是最早的一部。况且他辑的那样周详，又因为王羲之为书法中的最重要的人物之故，便特别供给以研究王羲之的字时所必需的资料，这都见他有方法，有眼光。

他又作了一部诗集，名“彩笺诗集”（他在《历代名画记》卷十中有“郑审事，具彦远所撰《彩笺诗集》”的话），但我们没见过，全唐诗里也没有，所以我们也不能妄加评说了。

据我们现在所知道的而论，彦远是约公元813年到879年前后的人，他家好几代都是大官，在他的壮年，就作了《历代名画记》，辑了《法书要录》，又著有《彩笺诗集》等，家里富有收藏，他对于艺术热烈爱好，晚年曾经为大理寺卿，但他一生所致力的是艺术研究，而其最大的贡献，则尤在那部《历代名画记》。对于《历代名画记》的详细介绍，我们却有待于下列的专文。

## 三

我首先要说的，是大家应该用惊异的眼光来看这部书！因为，无论就其体例看，就其详尽看，就其学理上之贡献看，就其影响于后世绘画处看，都不能让人平淡遇之！我们现在就分四项，来看这部令人惊异的书：

第一，结构：彦远的书名虽然是史，但是并没缺了体系的论述。全书共十卷，自第四卷以下，是包括自轩辕至唐会昌时的三百七十二个画家的小传和品评，这就是纯粹“史”的部分；自卷一至卷三，却是十五篇专门论文，标题是：叙画之源流，叙画之兴废，叙自古画人姓名，论画六法，论画山水树石，论传授南北时代，论顾陆张吴用笔，论画体工用拓写，论名价品第，论鉴识收藏阅玩，叙自古跋尾押署，叙自古公私印记，论装褙裱轴，记两京外寺观画壁，述古之秘画珍图。我们只就题目看，就已经感到那博大和精详了，不特是前无古人之作，就是后来想模仿他的人，截至现在，已经十世纪多了，却也并无一人能及得上他。以结构论，我觉得也很像Winckelmann，那部不朽的名著*Geschichte der Kunst des Altertums*（《古代艺术史》），那书也是分两部分，第一部分称为艺术之本质的研究，第二部分才是狭义的史。这便同是先有体系的论述，后有史了。不但如此，我们知道Winckelmann在*Geschichte der Kunst des Altertums*里，是于希腊的雕刻上发现了希腊精神，做了后来古典主义者的理想目标的，张彦远也在《历代名画记》中，于中国人之绘图上发现了中国所独有的文化教养与文化姿态，使中国的文人学者乃获得了一种明显的文化传统，而川流不息地发挥光大下去。

第二，理论：在上面许多的专门题目中，其性质当然是很复杂的，所以对于人们所引起的趣味也很不一律。现在我们所特别注意的却是在理论上，在方法上有兴趣，有意义的。先讲他的理论。其要点凡五：

（一）艺术之性质：形上的，道德的，政治的：在先谢赫的《古画品录》便已经维持着中国学者对于艺术之道德性的肯定了，张彦远也是如此，所以开头便说："夫画者成教化，助人伦"；不过他不止于如此，却更看出了艺术之形上的意义，因此他便紧接着说："穷神变，测幽微，与六籍同功，四时并运"，又说："造化不能藏其秘，故天雨粟，灵怪不能遁其形，故鬼夜哭。是时也，书画同体而未分，象制肇创而犹略。无以传其意，故有书；无以见其形，故有画。天地圣人之意也。"这种形而上学的思索是中国民族在过去所常有的，但是到了近代，却为浅薄的理智色彩所剥削殆尽了，这是生命力衰歇的象征，这是大可悲哀痛哭的。Winckelmann说：Die hochste Schonheit ist in Gott（最高的美是在上帝那里），这和张彦远的话若合符节，都是以为艺术是有一种最根本，最原始的来源，在宇宙的深处的。说是神变也好，说是造化也好，说是天地也好，说是上帝也好，都没有关系。就事实的观点看，或者要遭到刻舟求剑的苦恼，但倘若就价值的观点看，或就美学的逻辑看，这却是颠扑不破的真理，这乃是所有美学家都要如此肯定的一种假设。艺术除了道德的，形上的意义之外，也还有一种政治的价值，这就是："图画者有国之鸿宝，理乱之纪纲。"张彦远比前人的说法，实在详细多了。

（二）艺术是天生的，所以从事的人贵乎天才，贵乎创造，贵乎写实，贵乎气韵，而最所不要的乃是谨细：艺术是天生的，这是由艺术之形上的意义而可自然地推出的，用彦远的话就是："发于天然，非繇述作。"

既然如此，所以艺术家乃是禀承大自然而从事的，一点人工的、机械的意味也不能有。果然如此，便是天才。张彦远以吴道子为例，说道：

> 或问余曰："吴生何不用界笔直尺而能弯弧挺刃，植柱构梁？"对曰："守其神，专其一，合造化之功，假吴生之笔，向所谓意存笔先，画尽意在也。凡事之臻妙者皆如是乎，岂止画也与乎？庖丁发硎，郢匠运斤，效颦者徒劳捧心，代斫者必伤其手，意旨乱矣，外物役焉：岂能左

手划圆，右手划方乎？夫用界笔直尺是死画也，守其神，专其一，是真画也。死画满壁，曷如污墁，真画一划，见其生气。夫运思挥毫，自以为画，则愈失于画矣，运思挥毫，意不在于画，故得于画矣。不滞于手，不凝于心，不知然而然，虽弯弧挺刃，植柱构梁，则界笔直尺，岂得入于其间矣？”

——《历代名画记》卷二，论顾陆张吴用笔

“合造化之功，假吴生之笔”，这给Kant之“天才是天生的”一句话以极好的注脚。“运思挥毫，自以为画，则愈失于画矣，运思挥毫，意不在于画，故得于画矣”，这是说明了艺术创作之不能以意志操纵处，这正是和理智工作之大不同的地方。

艺术是天生的，天才是能够符合大自然的。所以艺术不当以模仿他人为事，却应当创造，应当以自然为师。彦远在记嵇宝钧时，先引了姚最的话：“虽亡师范，而意兼真俗，赋彩鲜丽，观之悦情”，而加以驳辩道：“彦远以画性所贵天然，何必师范！”既不要师范，便要写实，因为那实实在在的事物就正是好的范本。彦远对于写实一点，曾说过这样的话：

胡服靴衫，岂可辄施于古象，衣冠组绶，不宜长用于今人。芒履非塞北所宜，牛车非岭南所有。详辨古今之物，商较土风之宜，指事绘形，可验时代。其或生长南朝，不见北朝人物，习熟塞北，不识江南山川，游处江东，不知京洛之盛，此则非绘画之病也。故李嗣真评董展云："地处平原，阙江南之胜，迹参戎马，乏簪裾之仪，此是其所未习，非其所不至"，如此之论，便为知言！

——《历代名画记》卷二，论传授南北时代

倘若没见过而写不出来，是可以原谅的，否则明明见了如此而不写作如此，便不可恕了。

不过虽说写实，在艺术上却不是要求死板板的写实，乃是要抓住对象的要点。要再现对象的生命力之韵律的动态，这就是所谓"气韵""骨气"。气韵和骨气乃是张彦远所特别提倡的。在从前所注重的大法，到了这里，便只有"气韵生动"和"骨法用笔"最为重要了，——自此以后，遂确定了中国绘画的特殊面目和特殊精神。以"气韵生动"和"骨法用笔"论，后者是因，前者是果；后者是笔法和用具问题，前者是表现和精神问题。现在是论"气韵"，但有时连类而及手法，则称为"骨气"。张彦远的话是：

昔谢赫云画有六法。……彦远试论之曰：古之画，或能移其形似，而尚其骨气，以形似之外求其画，此难与俗人道也。今之画纵得其形似而气韵不生，以气韵求其画，则形似在其间矣。……夫象物必在于形似，形似须全其骨气，骨气形似皆本于立意，而归乎用笔，故工画者多善书。……至于鬼神人物，有生动之可状，须神韵而后全，若气韵不周，空陈形似，笔力未道，空善赋彩，谓非妙也。……至于经营位置，画之总要。……至于传模移写，乃画家末事。然今之画人。粗善写貌，得其形似，则无其气韵，具其色彩，则失其笔法，岂曰画也！呜呼！今之人斯艺不至也。

——《历代名画记》卷一，论画六法

照他看，六法轻重的次序似乎是如此的：最重要的是气韵和用笔，次是经营位置，又次是象形和赋彩，末后是传移模写。这个倾向也许是早就有的，但是意识地提出来的，要算张彦远为第一次。批评家的工作，其重要的意义之一，只是把已经存在着的倾向，有意识地提出来，但是要注意，在这既经提出来之后，却便很容易变为定型的潮流了，其力量便较前大，其作用也便较前深了。

要再现对象的生命力之韵律的动态，这便和舞蹈的艺术有些相通，张彦远也很看出这种关系来，所以他记载吴道玄时说：

> 开元中，将军裴旻善舞剑，道玄观旻舞剑，见出没神鬼，既毕，挥毫益进。时又有公孙大娘亦善舞剑器，张旭见之，因为草书。——杜甫歌行述其事。是知书画之艺皆须意气而成，亦非懦夫所能作也。
>
> ——《历代名画记》卷九，唐朝上

中国绘画是舞蹈性的，是音乐性的，已经在这里窥见了消息，和西洋绘画之为雕刻性的，透视学的乃完全异趣。倘若照Pater的话讲：all art constantly aspires towards the condition of music（一切艺术常是憧憬于音乐的状态），中国的绘画便恰恰达到了很圆满，很完美的地步。

其所以至此，就是要靠“骨法用笔”，就是要靠抓住对象的要点，就是宁出之以泼辣、粗壮、骠悍、超脱、沉郁顿挫、酣畅淋漓，而不要“谨细”，这是谢赫、姚最所主张过的，张彦远也便予以发挥。

> 夫画物特忌形貌采章，历历具足，甚谨甚细，而外露

巧密，所以不患不了，而患于了；既知其了，亦何必了，此非不了也；若不识其了，是真不了也。夫失于自然而后神，失于神而后妙，失于妙而后精，精之为病也，而成谨细。自然者为上品之上，神者为上品之中，妙者为上品之下。精者为中品之上，谨而细者为中品之中。余立此五等，以包六法，以贯众妙，其间诠量，可有数百等，孰能周详？非夫神迈识高，情超心慧者，岂可议乎！

——《历代名画记》卷二，论画体工用拓写

他说得比谢姚更清楚，更详尽了。在理论上如此，所以碰到在事实上果然谨细的，就当然有遗憾词了，例如：

王熊，官至潭州都督，尝与张燕公唱和诗句，善湘中山水，似李将军。意绪不卑，但笔迹轻细。

——《历代名画记》卷十，唐朝下

这种反对谨细的美感标准，又做了中国绘画的另一特色，这就是中国绘画所要求的乃是壮美（Erhaben），而不是优美（Schonheit）。因为要壮美，所以要单纯、要简净，琐屑和雕琢，都在所唾弃。在艺术上的造诣，是中国民族所可骄傲的成绩之一，而形成这种美感的批评家，更要算不可磨灭的功臣。

（三）中国绘画在技巧之根本问题乃是用笔：这是张彦远的一个大发现。这是造成中国绘画之壮美的成分的直接原因。他说："形似皆本于立意，而归乎用笔"，用笔之重要可见。为讲究用笔，遂又有书画同源的学说，这又是一个大发现。

书画同源，可以由两点说明。一是历史的，认为在最初的时候，书与画是不分的，所谓："书画同体而未分，象制肇创而犹略"，所谓："周官教国子以六书，其三曰象形，则画之意也，是故知书画异名而同体也"，这是就中国文字之象形的特色而看出如此的；二是技巧的，认为书法和绘画是用了共同的技巧，关于这一点，尤其有美学的价值。张彦远说：

> 昔张芝学崔瑗杜度草书之法，因而变之，以成今草书之体势，一笔而成，气脉通连，隔行不断，唯王子敬明其深旨，故行首之字，往往继其前行，世上谓之一笔书，其后陆探微亦作一笔画，连绵不断，故知书画用笔同法。陆探微精利润媚，新奇妙绝，名高宋代，时无等伦。张僧繇点曳斫拂，依卫夫人《笔阵图》，一点一画别是一巧，钩

戟利剑，森森然，又知书画用笔同矣。国朝吴道玄，古今独步。前不见顾陆，后无来者，授笔法于张旭，此又知书画用笔同矣。张既号书颠，吴宜为画圣。

——《历代名画记》卷二，论顾陆张吴用笔

他的论据非常确凿，这便奠定了中国绘画之技巧的基础。于是中国绘画乃寻到了它的一种姊妹艺术，同具舞蹈性，同具音乐性，同具壮美性，——这种艺术就是中国所特有的艺术“书法”。

（四）中国绘画之又一特色则为士大夫的：这就是后来所谓的“文人画”。详言之，即把绘画限制到是有教养的、有学问的读书人的活动，而对于倘若没有这些附带的资格的人的绘画则加以排斥。这种态度，也是由张彦远发端的：

宋朝顾骏之常结构高楼，以为画所，每登楼去梯，家人罕见，若时景融朗，然后含毫。天地阴惨，则不操笔，今之画人，笔墨混于尘埃，丹青和其泥滓，徒污绢素，岂曰绘画？自古善画者，莫匪衣冠贵胄，逸士高人，振妙一时，传芳千祀，非闾阎鄙贱之所能为也。

——《历代名画记》卷一，论画六法

这种影响极其大，“读万卷书，行千里路”成了所有画家的理想生活，“匠气”和“书卷气”成了一般人对绘画褒贬的分野。

（五）艺术史上之时代划分：艺术史上之时代划分是有美学的意义的，和一般历史上之时代划分是不同的，有时即完全不符也没有关系，中国人谈唐诗，常说初、盛、中、晚，这就是一种艺术史上之时代划分，我们对于这每一时代也便都有一种美学的、批评的意味。Winckelmann把希腊的雕刻，分作了四个时期，一为从古代到Phidias①，是直致的与僵凝的时期；二为由Phidias一直到Praxiteles②，是粗大的与棱角的风格的时期；三为Praxiteles，Lysippus③，Appelles④诸人所造成的风格盛行，趋于流动与优美的时期；四是模仿而堕落的时期。张彦远竟也有相似的论调，他说：

> 上古之画，迹简意淡而雅正，顾陆之流是也；中古之画，细密精致而臻丽，展郑之流是也……今人之画，错乱而无旨，众工之迹是也。
>
> ——《历代名画记》卷一，论画六法

① 现通译为“菲狄亚斯”（约前490—约前430），古希腊雕塑家。——编者注

② 一般译为“普拉克西特利斯”，古希腊雕刻家。——编者注

③ 一般译为“利西波斯”，古希腊雕刻家。——编者注

④ 一般译为“阿佩利斯”。——编者注

大概凡是一种艺术的成长，总是由自然而趋于造作的，到了造作的时期，就非有新内容，或者新刺激不能发展了，中国绘画却幸而由人物画而转移到山水画，所以遂有第二期的光荣。只可惜张彦远只见到人物画，然而就所论到的画，却已经很中肯了。

我说这种分期是艺术史上的分期，不必与一般的历史上的分期相符合。这证之于张彦远自己的话而尤为可信。因为，张彦远在另一机会又说：

> 今分为三古，以定贵贱：以汉魏三国为上古，则赵岐刘褒蔡邕张衡曹髦杨修桓范徐邈曹不兴诸葛亮之流是也。以晋宋为中古，则明帝荀勖卫协王廙顾恺之谢稚嵇康戴逵陆探微顾宝光袁倩顾景秀之流是也。以齐梁北齐后魏陈后周为下古，则姚昙谢赫刘瑱毛惠远元帝袁昂张僧繇江僧宝杨子华田僧亮刘杀鬼曹仲达蒋少游杨乞德顾野王冯提伽之流是也。
>
> ——《历代名画记》卷二，论名价品第

我们看，上面明明说顾陆为上古，为什么到了这里变为中古了呢？这就是因为前者是艺术史的划分，有审美的、评价的意味，后者乃是一般的历史的划分，只是朝代的、年月的前后而已。懂得这个道理，便不难明白张彦远又说尉迟乙僧吴道玄阎立本可齐中古了，其实他们就历史上的划分说，乃是只属于那时所谓“近代”而已。从审美的、评价的立场而划分时代，这是张彦远在中国美学上的大贡献之又一端。

第三，方法：以上五点是理论，现在讲方法。所谓方法，和理论有一点不同，就是，一个人的理论，往往可以由他自己说出来，但一个人的方法，却常常需要别人看出来。据我们所看到的，张彦远的批评方法有四：

（一）有标准：在张彦远认为，艺术的好坏是有标准的，艺术家也是有等级的，这是谢赫以来就如此主张的。可是附带的就发生了一个问题，就是这些等级是不是固定的呢？关于这一点便是张彦远的贡献了，他说：“夫中品艺人，有合作之时，可齐上品艺人；上品艺人，当未遇之日，偶落中品；唯下品虽有合作，不得厕于上品”（《历代名画记》卷二，《论名价品第》）。这就是说即便有变动，也还有一个变动的范围。彦远的批评，便是依此而行的。在彦远以为最大的画家乃是顾陆张吴四人，他说：“凡人间藏蓄，必当有顾陆张吴著名卷轴，方可言有图画。若言有书籍，岂可无九经三史？顾陆张吴为正经，杨郑董展为三史，其诸画迹，为百家。”在这四人中，他尤其推崇吴道玄，他在《论画六法》中说：

自顾陆以降，画迹鲜存，难悉详之。唯观吴道玄之迹，可谓六法俱全，万象毕尽，神人假手，穷极造化也。所以气韵雄壮，几不容于缣素，笔迹磊落，遂恣意于墙壁，其细画又甚稠密，此神异也。

又在《论画山水树石》中说：

吴道玄者天付劲毫，幼抱神奥，往往于佛寺画壁，纵以怪石崩滩，若可扪酌；又于蜀道写貌山水，由是山水之变，始于吴，成于二李。

更在《论顾陆张吴用笔》中说：

张既号书颠，吴宜为画圣。神假天造，英灵不穷。众皆密于盼际，我则离披其点画；众皆谨于象形，我则脱落其凡俗。弯弧挺刃，植柱构梁，不假界笔直尺，虬须云鬓，数尺飞动，毛根出肉，力健有余，当有口诀，人莫得知。数仞之画，或自臂起，或从足先，巨壮诡怪，肤脉连结，过于僧繇矣。

真可以说是赞不绝口了。吴道玄算是和张彦远在时代上很相近的画师，照通常的情形，一定要贱近贵远了。但是张彦远却完全打破了这种成见，唯标准是视，同时一发现是大天才时，便又热烈推许，所以配称大批评家。

（二）在理论上要求不矛盾：这是张彦远之理智要求处。他说：

宗炳字少文，……谢赫云："炳于六法，亡所遗善，然含毫命素，必有损益，迹非准的，意可师效，在第六品刘绍祖下，毛惠远上。"彦远曰：既云必有损益，又云非准的；既云六法亡所遗善，又云可师效；谢赫之评，固不足采也。且宗公，高士也，飘然物外情，不可以俗画传其意旨。

——《历代名画记》卷六，宋

钱国养，开元中善写貌，海内推服。窦云："衣裳凡鄙，未离贱工，格律自高，是为出众。"彦远云：既言凡鄙贱工，安得格律出众，窦君两句之评，自相矛盾。

——《历代名画记》卷九，唐朝上

他指斥别人如此，所以就知道他自己所采取的方法，乃是力求统一了。在情感上之热烈爱好，固为批评家不可少之条件，而理智上之逻辑要求，也为批评家所不可缺。于此，尤可见张彦远之天性近于批评处。

（三）从笔迹论画：这是更专门化了的一种批评方法了，应用当然只能限于绘画。在谢赫已露有这种端倪，不过总不如张彦远那样有意识地去运用。例如他说："李果奴笔迹调润"，"尹琳善佛事神鬼寺壁，高宗时得名，笔迹快利"，"王维……余曾见破墨山水，笔迹劲疾"，"梁广之花鸟，善赋彩，笔迹不及边鸾"。从审美的观点而分析笔迹，这乃是绘画批评家的专门之点。细说起来，笔与迹还有分别，所以张彦远又说："高江车道政二人并善写貌，道政兼善佛事，迹简而笔健。"大概"迹"相当于后世所称之"墨"，混而言之，就叫作"笔迹"了。倘若单就绘画论，他这种对笔迹的分析，乃是其方法中之最重要者。

（四）做时代划分的研究：已详于其理论中，不必再赘。但是不可忽视的，这也是研究艺术之必不可缺的一种方法。

第四，模范的批评手段：在全书中我要特别提出的，是《论画六法》和《论顾陆张吴用笔》，尤其后一篇，我真感到和Pater，和Ruskin的文字之不相上下了，理论那样巩固，鉴赏那样入微，科学与艺术，是要融而为一了。在记述那三百七十二位画家时，则我特别感到兴味的，乃是顾恺之、戴逵、陆探微、宗炳、张僧繇、杨契丹、阎立本、吴道玄和韩幹九人，固然是这些画家本身的生活富有兴味，然而也是张彦远搜集史料的殷勤和笔墨表达的高妙有以致之。

现在我们算是把这部《历代名画记》介绍完了，就它在结构上之史与体系并存，在理论上之对于艺术有形而上的思索。从中国绘画艺术看重用笔而提出了书画同源，并阐明了其音乐性，舞蹈性，壮美性，以及在方法上之专门意味的“笔迹”的考察，与艺术史上之美学的评价的划期，复以美妙的文字达之等等诸点而论，谓之不朽，谁能说有丝毫过分呢？说他可以比肩于Pater，Ruskin，Winckelmann，谁能说有半点夸张呢？

## 四

张彦远的著作已经奠定了中国绘画的基础了，后来大同小异，总没出了张彦远的藩篱。

隔了两世纪，就是到了十一世纪，却又出现了一位要继续《历代名画记》的艺术史家，这便是宋朝的郭若虚，他的书即《图画见闻志》。这部书是截至宋熙宁七年（公元一〇七四）的。

他很赞成张彦远，书中屡屡称道。他完全要完成张彦远的工作，所以从唐末叙起。体例也仿张彦远，全书一共六卷，第一卷是体系的论文，共十六篇，都比较短简，第二卷以下便是“史”了。在书中特别出色处也有数点：

（一）推崇六法，确定“气韵生动”。关于天才，他说：

六法精论，万古不移。然而骨法用笔以下五法可学，如其气韵，必在生知，固不可以巧密得，复不可以岁月到，默契神会，不知然而然也。

——《图画见闻志》卷一，论气韵非师

（二）更确定了中国绘画中之士大夫的成分。他说：

尝试论之，窃观自古奇迹，多是轩冕才贤，岩穴上士，依仁游艺，探赜钩深，高雅之情一寄于画，人品既已高矣，气韵不得不高，气韵既已高矣，生动不得不至。

——《图画见闻志》卷一，论气韵非师

到了这时，中国画的特殊面目，遂更明确了。和士大夫相反的绘画是匠工画。士大夫的画讲“气韵”，称“艺画”，匠工画则只是一种“术画”，甚而不承认是一种画：

凡画必周气韵，方号世珍，不尔虽竭巧思，止同众工之事，虽曰画而非画。

——《图画见闻志》卷一，论气韵非师

（三）用笔的理论，也更细了一层。他说：

夫内自足，然后神闲意定，神闲意定则思不竭而笔不困也。……又画有三病，皆系用笔。所谓三者，一曰版，二曰刻，三曰结。版者腕弱笔痴，全亏取与，物状平褊，不能圆混也。刻者运笔中疑，心手相戾，勾画之际，妄生圭角也。结者欲行不行，当散不散，似物凝碍，不能流畅也。

——《图画见闻志》卷一，论用笔得失

这所谓用笔三病，其实不只关系用笔，却正是一切艺术的技巧原理。

（四）他也打破了崇古的观念。他认为当就某一种画看，才能定夺古今优劣：

或问近代至艺与古人何如？答曰：近代方古多不及，而过亦有之。若论佛道人物士女牛马，则近不及古。若论山水林石花竹禽鱼，则古不及近。

——《图画见闻志》卷一，论古今优劣

他能看出这个趋势来，总算很有眼光。

（五）关于山水、花卉画的批评。山水、花卉，这是那时中国绘画的新园地，为张彦远所未能尽情领略的，郭若虚于此，遂有他很好的批评。在山水中他推崇李成关仝范宽：

夫气象萧疏，烟林清旷，毫锋颖脱，墨法精微者，营丘之制也。石体坚凝，杂木丰茂，台阁古雅，人物幽闲者，关氏之风也。峰峦浑厚，势状雄强，抢笔俱匀，人屋皆质者，范氏之作也。复有王士元王端燕贵许道宁高克明郭熙李宗成丘纳之流，或有一体，或具体而微，或预造堂室，或各开户牖，皆可称尚；然藏画者方之三家，犹诸子之于正经矣。

——《图画见闻志》卷一，论三家山水

在花卉中他推崇黄筌徐熙；

谚云：黄家富贵，徐熙野逸。不唯各言其志，盖亦耳目所习，得之于手而应于心也。何以明其然？黄筌与其子居寀，始并事蜀为待诏，筌后累迁如京副史，既归朝，筌领真命为宫赞。居寀复以待诏录之，皆给事禁中，多写禁籞所有珍禽瑞鸟，奇花怪石，今传世“桃花鹰鹘”“纯白雉兔”“金盆鹁鸽”“孔雀龟鹤”之类是也。又翎毛骨气尚丰满，而天水分色。徐熙江南处士，志节高迈，放达不羁，多状江湖所有汀花野竹，水鸟渊鱼，今传世“凫雁鹭鸶”“蒲藻虾鱼”“丛艳折枝”“园蔬药苗”之类是也。又翎毛形骨贵轻秀，而天水通色。二者犹春兰秋菊，各擅重名，下笔成珍，挥毫可范。……徐生与二黄，犹山水之有三家。

——《图画见闻志》卷一，论黄徐体异

这都是专就山水画、花卉画而言。倘若就一般论，他仍承袭了张彦远的意见，极赞吴道玄，他说：“吴道子画，今古一人而已，爱宾称前不见顾陆，后无来者，不其然哉”（《论吴生设色》）！又说：“吴生之作，为万世法，号曰画圣。不亦宜哉”（《论古今优劣》）！总算心悦而诚服了。

统观郭若虚的全书，对于绘画的贡献也不能算不多，只是在各方面，表现着比张彦远平庸些了，而且很明显时，在他的书中，关于纯理论的成分渐少，而关于实践上的叮嘱加多，所以就不复引起我们像对于张彦远那样的兴味了。——但这却是以后中国画论的趋势。

米芾也作有《画史》，则更为琐碎，倘若我们要找点点滴滴的精辟之处，虽未尝没有，只是那气魄和系统，却更要输与张彦远多多了。

像Winckelmann之在雕刻而确定了希腊文化的轮廓一样，张彦远由绘画而树立了中国传统文化之最优美的范畴！

**附注：**本文参考谢赫《古画品录》，彦悰《后画录》，李嗣真《后画品录》，姚最《续画品录》，张彦远《历代名画记》，张彦远《法书要录》，郭若虚《图画见闻志》，米芾《画史》，均据商务丛书集成本。望读者并参看宗白华著《论中西画法之渊源与基础》，载《中央大学文艺丛刊》一卷二期，（一九三四）一文。

一九二八年十二月四日

国家新闻出版广电总局
首届向全国推荐中华优秀传统文化普及图书

## 大家小书书目

| | |
|---|---|
| 经典常谈 | 朱自清　著 |
| 语言与文化 | 罗常培　著 |
| 习坎庸言校正 | 罗　庸　著　杜志勇　校注 |
| 鸭池十讲（增订本） | 罗　庸　著　杜志勇　编订 |
| 古代汉语常识 | 王　力　著 |
| 国学概论新编 | 谭正璧　编著 |
| 文言尺牍入门 | 谭正璧　著 |
| 日用交谊尺牍 | 谭正璧　著 |
| 敦煌学概论 | 姜亮夫　著 |
| 训诂简论 | 陆宗达　著 |
| 金石丛话 | 施蛰存　著 |
| 常识 | 周有光　著　叶　芳　编 |
| 文言津逮 | 张中行　著 |
| 中国字典史略 | 刘叶秋　著 |

古典目录学浅说　　来新夏　著

闲谈写对联　　白化文　著

怎样使用标点符号（增订本）　　苏培成　著

诗境浅说　　俞陛云　著

唐五代词境浅说　　俞陛云　著

北宋词境浅说　　俞陛云　著

南宋词境浅说　　俞陛云　著

人间词话新注　　王国维　著　滕咸惠　校注

苏辛词说　　顾　随　著　陈　均　校

诗论　　朱光潜　著

唐诗杂论　　闻一多　著

诗词格律概要　　王　力　著

唐宋词欣赏　　夏承焘　著

槐屋古诗说　　俞平伯　著

词学十讲　　龙榆生　著

词曲概论　　龙榆生　著

中国古典诗歌讲稿　　浦江清　著

浦汉明　彭书麟　整理

| | |
|---|---|
| 唐人绝句启蒙 | 李霁野　著 |
| 唐宋词启蒙 | 李霁野　著 |
| 古典文学略述 | 王季思　著　王兆凯　编 |
| 古典戏曲略说 | 王季思　著　王兆凯　编 |
| 唐宋词概说 | 吴世昌　著 |
| 宋词赏析 | 沈祖棻　著 |
| 道教徒的诗人李白及其痛苦 | 李长之　著 |
| 闲坐说诗经 | 金性尧　著 |
| 陶渊明批评 | 萧望卿　著 |
| 舒芜说诗 | 舒　芜　著 |
| 名篇词例选说 | 叶嘉莹　著 |
| 唐诗纵横谈 | 周勋初　著 |
| 楚辞讲座 | 汤炳正　著 |
| | 汤序波　汤文瑞　整理 |
| 好诗不厌百回读 | 袁行霈　著 |
| 山水有清音 | |
| ——古代山水田园诗鉴要 | 葛晓音　著 |

| | |
|---|---|
| 门外文谈 | 鲁　迅　著 |
| 我的杂学 | 周作人　著　张丽华　编 |
| 论雅俗共赏 | 朱自清　著 |
| 文学概论讲义 | 老　舍　著 |
| 中国文学史导论 | 罗　庸　著　杜志勇　辑校 |
| 给少男少女 | 李霁野　著 |
| 鲁迅批判 | 李长之　著 |
| 英美现代诗谈 | 王佐良　著　董伯韬　编 |
| 三国谈心录 | 金性尧　著 |
| 夜阑话韩柳 | 金性尧　著 |
| 英语学习 | 李赋宁　著 |
| 漫谈西方文学 | 李赋宁　著 |
| 历代笔记概述 | 刘叶秋　著 |
| 笔祸史谈丛 | 黄　裳　著 |
| 古典诗文述略 | 吴小如　著 |
| 有琴一张 | 资中筠　著 |
| 鲁迅作品细读 | 钱理群　著 |
| 唐宋八大家<br>——古代散文的典范 | 葛晓音　选译 |

| | | |
|---|---|---|
| 红楼梦考证 | 胡　适　著 | |
| 《水浒传》与中国社会 | 萨孟武　著 | |
| 《西游记》与中国古代政治 | 萨孟武　著 | |
| 《红楼梦》与中国旧家庭 | 萨孟武　著 | |
| 《金瓶梅》人物 | 孟　超　著 | 张光宇　绘 |
| 水泊梁山英雄谱 | 孟　超　著 | 张光宇　绘 |
| 《红楼梦》探源 | 吴世昌　著 | |
| 《西游记》漫话 | 林　庚　著 | |
| 细说红楼 | 周绍良　著 | |
| 红楼小讲 | 周汝昌　著 | 周伦玲　整理 |
| 曹雪芹的故事 | 周汝昌　著 | 周伦玲　整理 |
| 古典小说漫稿 | 吴小如　著 | |
| 三生石上旧精魂<br>——中国古代小说与宗教 | 白化文　著 | |
| 《金瓶梅》十二讲 | 宁宗一　著 | |
| 古体小说论要 | 程毅中　著 | |
| 近体小说论要 | 程毅中　著 | |
| 文学的阅读 | 洪子诚　著 | |
| 中国戏曲 | 么书仪　著 | |

| | | | |
|---|---|---|---|
| 中国史学入门 | 顾颉刚 著 | 何启君 整理 |
| 秦汉的方士与儒生 | 顾颉刚 著 | |
| 三国史话 | 吕思勉 著 | |
| 史学要论 | 李大钊 著 | |
| 中国近代史 | 蒋廷黻 著 | |
| 民族与古代中国史 | 傅斯年 著 | |
| 五谷史话 | 万国鼎 著 | 徐定懿 编 |
| 民族文话 | 郑振铎 著 | |
| 史料与史学 | 翦伯赞 著 | |
| 唐代社会概略 | 黄现璠 著 | |
| 清史简述 | 郑天挺 著 | |
| 两汉社会生活概述 | 谢国桢 著 | |
| 中国文化与中国的兵 | 雷海宗 著 | |
| 两宋史纲 | 张荫麟 著 | |
| 明史简述 | 吴 晗 著 | |
| 北宋政治改革家王安石 | 邓广铭 著 | |
| 从紫禁城到故宫——营建、艺术、史事 | 单士元 著 | |
| 史学遗产六讲 | 白寿彝 著 | |

| | |
|---|---|
| 司马迁之人格与风格 | 李长之　著 |
| 司马迁 | 季镇淮　著 |
| 唐王朝的崛起与兴盛 | 汪　篯　著 |
| 二千年间 | 胡　绳　著 |
| 论三国人物 | 方诗铭　著 |
| 考古发现与中西文化交流 | 宿　白　著 |
| 中国古代国家的历史特征 | 张传玺　著 |
| 艺术、神话与祭祀 | 张光直　著<br>刘　静　乌鲁木加甫　译 |
| 中国古代衣食住行 | 许嘉璐　著 |
| 中国古代史学十讲 | 瞿林东　著 |
| | |
| 黄宾虹论画 | 黄宾虹　著 |
| 中国绘画史 | 陈师曾　著 |
| 和青年朋友谈书法 | 沈尹默　著 |
| 中国画法研究 | 吕凤子　著 |
| 桥梁史话 | 茅以升　著 |
| 中国戏剧史讲座 | 周贻白　著 |
| 俞平伯说昆曲 | 俞平伯　著　陈　均　编 |

| | | |
|---|---|---|
| 新建筑与流派 | 童寯 著 | |
| 论园 | 童寯 著 | |
| 拙匠随笔 | 梁思成 著 | 林洙 编 |
| 中国建筑艺术 | 梁思成 著 | 林洙 编 |
| 沈从文讲文物 | 沈从文 著 | 王风 编 |
| 中国画的艺术 | 徐悲鸿 著 | 马小起 编 |
| 中国绘画史纲 | 傅抱石 著 | |
| 中国舞蹈史话 | 常任侠 著 | |
| 海上丝路与文化交流 | 常任侠 著 | |
| 世界美术名作二十讲 | 傅雷 著 | |
| 中国画论体系及其批评 | 李长之 著 | |
| 金石书画漫谈 | 启功 著 | 赵仁珪 编 |
| 吞山怀谷<br>——中国山水园林的艺术 | 汪菊渊 著 | |
| 中国古代音乐与舞蹈 | 阴法鲁 著 | 刘玉才 编 |
| 梓翁说园 | 陈从周 著 | |
| 旧戏新谈 | 黄裳 著 | |
| 民间年画十五讲 | 王树村 著 | 姜彦文 编 |
| 民间美术与民俗 | 王树村 著 | 姜彦文 编 |

| | |
|---|---|
| 长城史话 | 罗哲文　著 |
| 中国古园林概说 | 罗哲文　著 |
| 现代建筑奠基人 | 罗小未　著 |
| 世界桥梁趣谈 | 唐寰澄　著 |
| 如何欣赏一座桥 | 唐寰澄　著 |
| 桥梁的故事 | 唐寰澄　著 |
| 园林的意境 | 周维权　著 |
| 万方安和<br>——皇家园林的故事 | 周维权　著 |
| 现代建筑的故事 | 吴焕加　著 |
| 中国古代建筑概说 | 傅熹年　著 |
| | |
| 国学救亡讲演录 | 章太炎　著　蒙　木　编 |
| 简易哲学纲要 | 蔡元培　著 |
| 大学教育 | 蔡元培　著<br>北大元培学院　编 |
| 老子、孔子、墨子及其学派 | 梁启超　著 |
| 中国政治思想史 | 吕思勉　著 |
| 天道与人文 | 竺可桢　著　施爱东　编 |

| | |
|---|---|
| 春秋战国思想史话 | 嵇文甫　著 |
| 晚明思想史论 | 嵇文甫　著 |
| 新人生论 | 冯友兰　著 |
| 中国哲学与未来世界哲学 | 冯友兰　著 |
| 谈美书简 | 朱光潜　著 |
| 中国古代心理学思想 | 潘　菽　著 |
| 民俗与迷信 | 江绍原　著　陈泳超　整理 |
| 佛教基本知识 | 周叔迦　著 |
| 儒学述要 | 罗　庸　著　杜志勇　整理 |
| 希腊漫话 | 罗念生　著 |
| 佛教常识答问 | 赵朴初　著 |
| 大一统与儒家思想 | 杨向奎　著 |
| 孔子的故事 | 李长之　著 |
| 西洋哲学史 | 李长之　著 |
| 乡土中国 | 费孝通　著 |
| 社会调查自白 | 费孝通　著 |
| 经学常谈 | 屈守元　著 |
| 墨子与墨家 | 任继愈　著 |
| 汉化佛教与佛寺 | 白化文　著 |
| 中西之交 | 陈乐民　著 |

# 出版说明

“大家小书”多是一代大家的经典著作，在还属于手抄的著述年代里，每个字都是经过作者精琢细磨之后所拣选的。为尊重作者写作习惯和遣词风格、尊重语言文字自身发展流变的规律，为读者提供一个可靠的版本，“大家小书”对于已经经典化的作品不进行现代汉语的规范化处理。

提请读者特别注意。

北京出版社